헨리 4세 1부

셰익스피어학회 총서 010

헨리 4세
1부 King Henry IV
Part 1

윌리엄 셰익스피어 지음

임도현 옮김

도서출판 │동인

발간사

지금까지 셰익스피어 작품에 대한 번역은 끊임없이 다양한 동기에 의해 진행되어 왔다. 초창기 셰익스피어 작품 번역은 일본어 번역을 우리말로 옮기는 작업이었다. 일본이 서구에 대한 수용을 활발한 번역을 통해서 시도하였기 때문에 일본어를 공부한 한국 학자들이 번역을 하는 데 용이했던 까닭이었다. 하지만 이 경우는 문학적인 차원에서 서구 문학의 상징적 존재인 셰익스피어를 문학적으로 소개하는 것이 목적이어서 문어체를 바탕으로 문장의 내포된 의미를 부연하게 되어 매우 복잡하고 부자연스러운 번역이 주조를 이루었던 것이 문제가 되었다.

그 다음 세대로서 영어에 능숙한 학자들이나 번역가들이 셰익스피어 번역에 참여하게 되었다. 셰익스피어 작품에 대한 수많은 주(note)를 참조하여 문학적 이해와 해석을 곁들인 번역은 작품의 깊이를 파악하는 데 많은 도움이 되었다고 볼 수 있다. 하지만 셰익스피어 작품을 무대에 올리는 배우들에게는 또 다른 문제가 생길 수밖에 없었다. 문학적 해석을 번역에 수용하는 문장은 구어체적인 생동감을 느낄 수 없었고, 호흡이 너무 길어 배우가 대사로 처리하기에 부적합하였다.

이런 문제점을 해결하기 위해서 번역가마다 각자 특별한 효과를 내도록 원서에서 느낄 수 있는 운율적 실험을 실시하기도 하였다. 그런 시도는 셰익스피어 번역에 새로운 분위기를 자아내었을 뿐 아니라 다양한 번역이 이루어져 나름의 의미가 있었다고 본다. 반면에 우리말을 영어식의 운율에 맞추는 식의 인위적 효과를 위해서 실험하는 것은 배우들이 대사 처리하기에 또 다른 부자연성을 느끼게 하였다.

한국에서 셰익스피어를 연구하는 학자들이 모이는 한국셰익스피어학회에서 셰익스피어 탄생 450주년을 기념하여 셰익스피어 전작에 대한 새로운 번역을 시도하기로 하였다. 우선 이번 번역은 셰익스피어 원서를 수준 높게 이해하는 학자들이 배우들의 무대 언어에 알맞은 번역을 한다는 점에서 차별성을 두고자 한다. 또한 신세대 학자들이 대거 참여하여 우리말을 현대적 감각에 맞게 구사하여 번역을 하자는 원칙을 정하였다.

시대가 바뀔 때마다 독자들의 언어가 달라지고 이에 부응하는 번역이 나와야 한다고 본다. 무대 위의 배우들과 현대 독자들의 언어감각에 맞는 번역이란 두 마리 토끼를 잡는 것은 그리 쉬운 일은 아니지만 매우 의미 있는 일일 것이다. 이번 한국 셰익스피어 학회가 공인하는 셰익스피어 전작 번역이 성공적으로 이루어지도록 뒷받침하는 도서출판 동인의 이성모 사장에게 심심한 감사의 뜻을 전하며 인문학의 부재의 시대에 새로운 인문학의 부활을 이루어내는 계기가 되리라 믿는다.

2014년 3월
한국셰익스피어학회 17대 회장 박정근

『헨리 4세 1부』는 『리처드 2세』 다음에 저술된 것으로 역사극으로는 리처드 2세, 헨리 4세 그리고 헨리 5세를 다룬 4부작 중에 두 번째 작품이다. 이 작품이 가지는 중요성은 여러 가지가 있을 수 있지만 특히 셰익스피어의 영국 왕들에 대한 그의 독특한 해석이 잘 반영되어 있다는 것을 들 수 있다. 셰익스피어는 영국 왕들이 가지고 있는 천부적인 특권이 아니라 그들이 겪게 되는 흥망성쇠의 과정에 중점을 두었다. 이는 그들이 권력을 가지고 있다고는 하나 그들 역시 한 인간으로서 보통의 인간들이 겪게 되는 갈등과 고민을 갖게 된다는 것이다.

셰익스피어의 해석처럼 영원한 권력과 영광을 영위하는 왕은 없다. 한 시기에 성공한 왕은 그 다음 시대가 되면 그 자리를 다른 사람에게 넘겨주어야 하는 것이 순리이다. 이러한 관점이 현저하게 드러나는 것이 바로 이 작품이다. 『리처드 2세』에서 사후에 "달콤하고 사랑스러운 장미"로 회자되는 리처드는 "야생 귀리"와 같은 볼링브룩에게 왕권을 찬탈 당한다. 하지만 야생적이고 강인한 인물이었던 볼링브룩이 『헨리 4세 1부』에서는 다른 모습으로 묘사된다. 그는 연이은 전란으로 지쳐있고 자신이 저지른 과거의 잘못에 대한 죄책감으로 괴로워하며, 특히 자신의 왕위를 이을 장자의 방탕함에 고뇌하는 한 아버지의 모습을 하고 있다. 다시 말하면 한 인간으로서 겪게 되는 삶의 다양한 면모를 보여준다고 할 수 있다. 『헨리 5세』에서 명시되어 있듯이 "왕도 단지 한 인간인 것이다." 왕이라고 하는 신분 때문에 인간의 조건이 좀 더 극대화되어 보이는 것에 불과하다고 할 수 있다. 따라서 셰익스피어의 역사극은 한 인물의 역사에 초점이 맞춰지는 것이 아니라 인간이 삶을 살아가면서 겪게 되는 크고 작은 굴곡이 좀 더 강조된 양상으로 표현되고 있다는 것을 유념하면서 읽을 때, 작가의 의도를 제대로 알 수 있고 또한 역사극의 왕들의 이야기가 우리의 이야기로 다가올 수 있을 것이다.

그런 만큼 이 작품은 저물어 가는 헨리 4세보다 그 뒤를 잇는 할 왕자에게 더 많은 초점이 맞춰진다. 방탕한 생활을 하며 악덕을 일삼았던 그가 그러한 생활을 청산하고 영국을 이끌어 갈 미래의 헨리 5세가 될 수 있는 왕자로서의 변신이 이 작품의 흥미로운 테마가 된다. 그가 술주정뱅이 늙은 기사 폴스타프와 벌이는 여러 가지 일들은 이 역사극에 즐거움을 더해주는 코믹 요소로서의 역할을 한다. 그러면서 극중에서 벌어지는 권력타툼, 용맹과 비겁함 그리고 명예와 현실이라는 주제를 패러디해서 보여준다. 따라서 역사극이라고는 하지만 즐겁게 작품을 감상할 수 있는 장점이 있다.

또한 이 작품은 풍부한 언어 표현 방식에서 뛰어난 작품이다. 이러한 표현을 최대한 전달하기 위해서 원문이 가지는 표현을 그대로 옮기려 하였고, 가능하면 원문이 지닌 운율 또한 느낄 수 있도록 번역하는 데 중점을 두었다.

2015년 9월
임도현

| 차례 |

등장인물

장소: 잉글랜드와 웨일즈

헨리 4세 왕
헨리(할, 해리) 웨일즈 왕자
랑카스터의 존 경 ┐ 헨리 왕의 아들들
웨스트멀랜드 백작
월터 블런트 경
토마스 퍼시 우스터 백작, 노섬벌랜드 백작의 아우
헨리 퍼시 노섬벌랜드 백작
핫스퍼 노섬벌랜드 백작의 아들, 헨리 퍼시경
에드먼드 모티머 마치 백작 핫스퍼의 처남
아치볼드 더글라스 백작, 스코틀랜드 경
오언 글렌다워 웨일즈 경, 모티머의 장인
리처드 버논 경
리처드 스크루프 요크 대주교
마이클 경 요크 대주교의 친구
존 폴스타프 경
포인즈
피토
바돌프
개즈힐
퍼시 부인 핫스퍼의 아내, 모티머의 누이
모티머 부인 글렌다워의 딸, 모티머의 아내
퀵클리 주모 이스트 칩에 있는 보어즈 헤드 주막(멧돼지머리) 여주인
귀족들, 장교들, 행정관, 주막 주인, 시종(술집), 술집 급사들, 두 명의 인부,
여관 마부, 전령들, 여행객들 그리고 시종들

1막

1장

런던. 궁정.

왕, 랑카스터의 존 경, 웨스트멀랜드 백작,
[월터 블런트 경]이 그 밖의 인물들과 등장

왕　이 나라가 너무도 위태롭고, 근심으로 창백해져 있으니, 겁에 질
린 평화가 숨을 고를 시간을 갖게 하고, 숨을 고르는 동안 저 멀
리 바다 너머에서 시작된 새로운 전란에 대해 이야기 합시다. 더
5　이상 이 땅의 목마른 입구가 그 입술을 이 땅의 자식들의 피로 더
럽히지 못할 것이며, 더 이상 전쟁의 쟁기질이 이 땅의 들판에 이
랑을 만들지 못하고, 이 땅의 조그만 꽃들이라도 적대적인 발걸
10　음의 무장한 발굽에 짓밟히지 않을 것입니다. 본래 동일한 성질
에서 나온 동포가 혼란된 천체의 유성들처럼 서로를 적대시하고
최근 내전에서 서로를 살육해온 것입니다. 하지만 이제 잘 정돈
된 행렬로, 하나의 방향으로 행진하여, 더 이상 지인들 · 친인척
들, 그리고 동맹국에 대항하지 않을 것이며, 칼집을 제대로 찾지
15　못한 칼처럼, 전쟁의 칼날이 더 이상 자신의 주인을 베지 못할 것
입니다. 그러므로 여러분, 이제 성스러운 십자가 예수그리스도의
군사로서 짐은 예수성묘까지 원정할 영국군대를 즉시 소집할 것
입니다. 이 군대는 이 신성한 들판 위로 천사백 년 전에 고통의
20　십자가에서 우리를 위하여 못 박혀 돌아가신 축복받은 발이 디뎠

던 이 땅에서 이교도들을 모두 쫓아내기 위해 그들 어머니의 자
궁 속에서부터 준비되었던 것입니다. 그러나 이 일은 열두 달 전 25
에 계획된 것이고, 새삼 다시 언급하는 것이 헛된 일이 될 것입니
다. 지금 우리가 모인 것은 이것 때문이 아닙니다. 자, 그러면 나
의 친절한 친지인 웨스트멀랜드 경에게 어젯밤 의회에서 이 소중
하고 긴급한 원정을 진척시키기 위해서 무엇을 결정했는지 들어 30
봅시다.

웨스트멀랜드 폐하, 이 긴급한 문제에 대해 열띤 토론이 있었습니다. 그
리고 이 계획에 대한 임무들이 정해졌습니다. 하지만 어젯밤에
뜻하지 않게 웨일즈로부터 무거운 소식이 전해졌습니다. 그 중에 35
서 가장 최악의 것은 저 야만적인 게릴라군 글렌다워에 맞서 싸
우기 위해서 헤레포드 지역의 군대를 이끌고 있는 모티머 경이
웨일즈 군의 무자비한 손에 사로잡혔고, 그의 부하 천 명이 살육 40
당했으며, 그들의 시체가 웨일즈 여자들에 의해 수치심을 느끼지
않고는 말할 수도 없고 들을 수 없는 학대와 짐승같이 무자비한
훼손을 당했다는 것입니다. 45

왕 이 전란에 대한 통지가 성지를 향한 우리의 계획에 제동을 거는
것처럼 보이는군요.

웨스트멀랜드 은혜로우신 폐하, 이 소식은 시작에 불과합니다. 더욱 거
칠고 반갑지 않은 소식이 북으로부터 왔습니다. 상당히 심각한
소식입니다. 성 십자가 날에, 젊은 해리 퍼시인 호협한 핫스퍼와 50
지금까지 용맹스러운 것으로 가치가 증명된 용감한 아치볼드가
홀메돈에서 만나서 심각하고 피비린내 나는 한 시간을 보냈다고

합니다. 그들의 대포 발포에 의해 추측으로 소식은 그렇게 전했습니다. 이는 소식을 가져온 자가 싸움의 가장 격렬한 순간에 말에 올라 결과에 대해 확신이 없기 때문입니다.

왕 여기 소중하고 충직한 친구인, 월터 블런트 경이 있소. 경은 이곳과 홀메돈과는 다른 흙먼지를 입고 방금 말에서 내렸습니다. 그는 우리에게 유쾌하고 평온하고 반가운 소식을 가져왔어요. 더글라스 백작은 패배 당했고 만 명의 대담한 스코틀랜드 인들, 22명의 기사들이, 그들 자신의 핏속으로 자멸하는 것을 홀메돈 전장에서 목격하였답니다. 핫스퍼가 피페의 백작이며 패배당한 더글라스의 맏아들인 몰데이크, 그리고 아톨, 머레이, 앙거스, 메티이스 백작들을 포로로 생포하였고요. 이것이야말로 명예로운 전리품이 아닌가요? 훌륭한 노획물? 하, 그렇지 않소?

웨스트멀랜드 그렇습니다. 한 명의 왕자님이 충분히 자랑할 수 있는 획득물입니다.

왕 하, 백작은 나를 슬프게 하고, 나로 하여금 노섬벌랜드 경이 그토록 축복받은 아들의 아버지인 것을 시기하는 죄를 짓게 하는군요. 명예의 화신이 되는 아들, 작은 숲속 가운데 가장 곧은 나무, 달콤한 행운의 여신이 가장 사랑하는 자이며 자부심이 되는 아들이지요. 한편 그에 대한 칭찬을 들으면서 짐은 방탕과 불명예가나의 어린 해리의 눈썹을 더럽히는 것을 봅니다. 아 밤을 활보하는 요정이 아기요람에서 우리 아이들을 바꿔치기 해서 나의 아이를 퍼시라고 부르고 그의 아이를 플랜태지넷이라고 불렀다는 것을 증명할 수 있다면! 그러면 나는 그의 해리를, 그는 나의 해리

를 가질 수 있었을 텐데. 그러나 그를 내 욕심으로부터 놓아주어
야지요. 백작, 이 젊은 퍼시의 자만에 대해 어떻게 생각하시오?
그는 이 전쟁에서 생포한 포로들을 자신의 용도를 위해 보유하고
있고 짐에게 피폐 백작인 모어다크를 제외하고는 아무도 전수하
지 않을 것이라고 전갈을 보내왔어요.

웨스트멀랜드 그것은 그의 숙부의 지시입니다. 그를 우쭐대게 만들고 폐   95
하의 왕권에 대항해서 젊음의 벗을 곤두세우도록 조장한 자는 폐
하에게 적대적인 우스터입니다.

왕 하지만 답변을 듣기 위해서 퍼시를 소환하였어요. 그리고 이 문
제 때문에 예루살렘으로 향하는 우리의 성스러운 목적은 잠시 잊
어야 할 것 같습니다. 돌아오는 수요일에 의회가 윈저에서 열릴   100
것입니다. 중신들이 그렇게 보고했소. 하지만 신속하게 돌아오세
요, 분노 상태에서 공개적으로 거론되는 것보다 말하고 행해야
할 것이 더 많이 있으니까요.   105

웨스트멀랜드 명심하겠습니다, 폐하.

모두 퇴장.

2장

런던. 왕자의 처소.

웨일즈 왕자와 존 폴스타프 경 등장.

폴스타프 이봐 할, 지금 몇 시인가?

왕자 오래된 스페인 산 백포주를 마시고, 저녁 식사 후 단추를 풀어헤쳐, 정오가 넘은 시간까지 길거리 의자에서 잠을 자서, 너무 머리가 멍청해져 정말로 알아야 할 것을 물어야 한다는 것을 잊어버렸나보군. 도대체 자네가 지금이 몇 시인지 왜 상관하는 건데? 만약 시간(時)이 술잔 수가 아니라면, 그리고 분(分)이 수탉 안주가 아니고, 시계가 포주의 음담이 아니고, 시계 문자판이 작부집 간판이 아니고, 그 축복받은 태양 자체가 불꽃 색깔의 페티코트를 입은 어여쁜 호색의 처자가 아니라면, 왜 당신이 시간을 물어보면서 불필요하게 호기심을 갖는지 도무지 이유를 모르겠네.

폴스타프 그렇지, 할, 바로 그거야. 왜냐하면 지갑을 터는 우리는 "너무도 정중히 방랑하는 기사인 태양의 신, 포이보스에 의해서"가 아니고 달과 일곱 개의 별 빛에 의해서 시간을 알게 되니까 말이야. 친절한 익살꾸러기, 나는 자네가 왕이 될 때, 주님이 황태자, 아니 폐하라고 해야지, 폐하를 구원해주시기를 기도해. 축복이라면 너는 조금도 없으니까―

왕자　뭐, 아무것도 없다고?

폴스타프　그래 없어. 내가 맹세하겠는데, 초라한 식사 전에 하는 축도만큼도 없지.

왕자　뭐, 어떻다고? 자 그러지 말고 다시 분명히 말해보게.　15

폴스타프　그러면 친절한 애송이, 자네가 왕이 될 때 밤의 시종들인 우리를 낮의 아름다움의 도적이라 부르지 말게 하게나. 우리를 달의 여왕이신 다이애나의 청지기, 어둠의 신사, 달이 총애하는 아들이 되게 해주게. 그리고 사람들이 우리를 바른 통치자를 섬기는 사람들이라 부르게 해주게. 바다가 그러듯이 우리는 우리의 고상하고 정숙하신 여신인 달님에 의해서 다스려지고 그 여신님의 보호 아래에서 밤일을 하니까 말일세.　20

왕자　말 한번 잘하는군. 비유도 그럴싸하고. 달님의 종들인 우리네 운명은 바다가 달에 의해 다스려지듯이 그렇게 바다처럼 밀려왔다 쓸려나가고 하니 말일세 — 증거를 들자면, 금 주머니가 월요일 밤에 가장 결연하게 강탈되어서는, 화요일 아침에 가장 방탕하게 소비되지, "가진 돈 다 내놔"라고 욕설을 퍼부으면서 얻어진 것이 "있는 음식 다 내 오거라"라는 아우성으로 싹 빠져나가니까　25 말일세. 교수대 사다리의 맨 밑바닥처럼 낮은 썰물이었다가 곧 교수대 용마루처럼 높은 밀물이 되는 거지.

폴스타프　주님께 맹세코 자네 말이 맞네, 어린 친구. 그런데 그 선술집 주모 말이야. 참 괜찮은 처자 아닌가?

왕자　그렇지, 술집 영감탱이야, 하이블러¹의 꿀처럼. 그런데 버프 저킨　30

---

1. 시실리에 있는 유명한 하이블러 벌꿀의 재료

가죽조끼도 질기고 괜찮지 않나?

폴스타프 정신 나갔군, 뭐가 어떻다고? 무슨 헛소리야? 도대체 내가 그 가죽조끼하고 무슨 상관인가?

왕자 그럼 대체 내가 그 선술집 주모와 무슨 망할 놈의 상관이 있다는 건데?

폴스타프 그거야, 자네가 여러 번 그 주모에게 영수증을 달라고 하지 않았나?

35 **왕자** 자네 몫을 지불하라고 내가 자네를 부른 적이 있나?

폴스타프 없지. 네가 항상 모든 것을 지불했으니까.

왕자 그렇지, 그리고 다른 곳에서도, 내 돈이 미치는 한 지불을 했어, 그리고 미치지 못하는 곳에는 나의 신용을 사용했지.

폴스타프 그렇지, 너의 신용은 네가 명백한 후계자라는 것이 의심될 만큼 남용되었지─그런데 말이야, 자네가 왕이 되도 영국에 교수대
40 를 남겨놓을 건가? 그리고 늙어빠진 광대와 같은 법률의 녹슨 재갈로 이런 용기를 꺾어버릴 것인가? 자네가 왕이 될 때 도둑을 교수형에 처하진 않을 테지?

왕자 아니, 자네가 하게 될 거야.

폴스타프 내가? 오 멋지군! 주님께 맹세코, 나는 끝내주는 재판관이 될 거야!

45 **왕자** 자넨 이미 잘못된 판정을 하였군. 난 자네가 도둑들을 교살시키게 되서, 최고의 교수형 집행관이 될 거라고 말한 것이었어.

폴스타프 글쎄, 할, 어느 정도는 내 기질과 잘 맞는 것 같아. 내 장담하는데 법정에서 어슬렁거리고 있는 것만큼 잘 맞아.

왕자 옷을 얻기 위해서 말이지?

폴스타프 그렇지, 교수당한 죄인의 옷을 얻게 될 테니까. 제기랄, 기분이 50
우울한데, 거세당한 수코양이 미끼에 걸린 곰처럼.

왕자 또는 늙은 사자처럼, 사랑에 빠진 이의 루트소리처럼.

폴스타프 그렇지 링컨셔 지역 백파이프의 윙윙거리는 소리처럼.

왕자 자네 놀란 산토끼나 통로를 흐르는 도랑처럼 우울하지 않은가?

폴스타프 참으로 불쾌한 비유를 하는군. 정말로 비교할 수도 없게 아주
악당 같은 애송이 왕자야. 그러나 할, 간청하겠는데 날 더 이상 55
그 어리석음으로 망치지 말아주게. 자네와 내가 좋은 평판을 받
게 될 곳이 없을까? 요전 날 의회에 있는 한 양반이 길거리에서
자네에 관해 날 나무랐어. 하지만 난 귀담아 듣지 않았어. 아, 그
래도 그자는 현명하게 말했어, 길거리에서 말이야. 60

왕자 잘했어, 현자가 아무리 거리에서 외쳐도 아무도 듣지 않을 테니
말이야.

폴스타프 아 너 성경구절을 자꾸 인용하는 사악한 술수를 써서, 참으로
성자를 타락시킬 수 있겠구나. 넌 내게 너무도 많은 해를 끼쳤어.
할, 주님이 너를 용서해주시기를. 할, 내가 너를 알기 전에 난 아
무것도 몰랐어. 진실을 말하면 난 단지 그 사악한 무리들 중에 하 65
나일 뿐이야. 난 이 생활을 끝내야 돼. 아니 끝낼 거야. 주님께 맹
세코, 만약 끝내지 못한다면 난 더러운 악당 놈이다. 나는 기독교
국 왕의 아들 놈 때문에 저주받지 않을 거야.

왕자 잭 내일 어디에서 지갑을 털 거지?

폴스타프 에잇, 네가 하는 곳이지, 애송이. 내가 그 무리 중의 하나가 되

겠네. 만약 그러지 않으면, 날 악당이라고 불러서 망신을 주게.

70 **왕자** 자네에게서 엄청난 삶의 개혁을 보았네. 기도에서부터 지갑 털기로.

폴스타프 할, 이건 내 직업이야. 사람이 자신의 직업에 매진하는 것은 죄가 아니야. (포인즈 등장) 포인즈! ─이제 개즈힐이 한탕 할 장소를 잘 봐두었는지 말해주게. 아, 만약 사람이 선한 업적에 의해서만 구원받을 수 있다면, 지옥에 있는 어떤 감옥이 그에게 충분히 뜨거울 수 있겠나? 이 자는 정직한 사람에게 "거기 서라!"라고 소리친 놈 중에서 가장 비상한 악당이야.

75 **왕자** 잘 지냈나, 네드.

포인즈 안녕하세요, 친절한 할 왕자님. 양심의 가책 씨가 뭐라고 하셨나요? 포도주 존 그리고 설탕 존 경이 무엇이라 했어요? 잭! 악마와 당신이 지난 성금요일에 백포도주 한잔하고 수탉 뒷다리 때문에 팔아버린 당신의 영혼을 두고 어떻게 합의를 했지요?

왕자 존 경은 자기가 한 말을 잘 지키고 있어. 악마는 원하는 거래를 하게 될 거야. 왜냐하면 그는 결코 속담을 어기는 법이 없으니까. 그는 악마에게도 자기 몫을 줄 거야.

80

포인즈 그러면 영감은 악마와의 약속을 지킨 것 때문에 저주를 받은 거로군요.

왕자 그렇지 않으면, 악마를 속인 것 때문에 저주를 받겠지.

포인즈 자, 이봐요. 내일 아침, 개즈 힐에서 4시쯤에 어마어마한 헌금을 가지고 캔터베리로 가는 순례자들과 두둑한 지갑을 가지고 런던으로 가는 장사꾼들이 있답니다. 여러분이 변장할 가면을 가지고 왔어요. 개즈힐은 오늘 밤 로체스터에서 묵을 거라고 합니다. 내

85

일 밤 이스트 칩에서 먹을 저녁은 이미 주문해 두었습니다. 우리는 잠자는 것처럼 안전하게 일을 처리할 수 있을 겁니다. 이것을 하면, 두 분 주머니를 은으로 가득 채워드리지요. 싫으시면, 집에 있다가 목이 매달리게 되시던 지요.

폴스타프 여봐, 에드워드. 만약 내가 집에 머물고 가지 않으면, 차라리 가는 너희들의 목이 매달리게 할 거다.

포인즈 영감이 그럴 거라고요, 뚱뚱보 양반?　　　　　　　　　　90

폴스타프 할, 자네 한건 할 건가?

왕자 누구, 내가 강도질을 한다고? 내가 도둑인가? 난 아니네, 맹세코.

폴스타프 넌 정직함, 남성다움이 없을 뿐더러 동료애도 없구나. 10실링을 얻는 일도 감히 못한다면 넌 왕족의 피도 아닌 게지.

왕자 어 그러면, 내 인생에서 한번 무모한 놈이 되어봐야겠군.　　95

폴스타프 그래 말 한번 잘했네.

왕자 근데, 무슨 일이 있어도, 난 집에 있겠네.

폴스타프 그러면 주님께 맹세코, 난 네가 왕이 될 때 반역자가 될 거야.

왕자 상관 안하네.

포인즈 존 나리, 간청하겠는데 왕자님과 나만 남겨두시죠. 왕자님이 하　100
실 이 모험에 대해서 설명드릴 게 있으니까요.

폴스타프 그야 뭐, 하나님이 자네에게 설득할 수 있는 힘을 주시기를 그리고 그에게는 이점에 대해서 들을 수 있는 귀를 허락하시길. 그래서 자네가 말한 것은 감동을 주고 그가 들은 것은 신뢰가 되어 진짜 왕자가 재미삼아 가짜 도둑으로 판명되기를. 요즘에는 더러운 악행들이 드러나질 않으니까 말이야. 잘 있게 이스트 칩에서

　　　　날 찾게.

왕자　잘 가게, 때 늦은 봄! 안녕, 늦은 가을의 여름 날씨!

폴스타프 퇴장.

포인즈　자, 선하시고 친절한 왕자님, 내일 저희와 함께 말에 오르시지요. 저 혼자서는 힘에 겨운 장난거리가 있습니다. 폴스타프, 바르돌프, 피토 그리고 개즈힐이 우리가 눈여겨왔던 사람들을 털 것입니다―왕자님과 저는 거기에 합류하지 않을 것입니다. 그들이 노
　획물을 가지게 될 때, 왕자님과 제가 그것을 강탈하지 않으면, 이 목을 베어내십시오.

왕자　어떻게 우리가 그들을 따돌리고 출발할 수 있겠나?

포인즈　우리는 그들보다 먼저 아니면 뒤에 출발하고 약속장소를 정할 것입니다. 물론 기꺼이 그 장소에 도달하는 데 실패할 거고요. 그러면 그들끼리 약탈물을 처리하느라 모의를 하겠지요. 하지만 그들
　이 그걸 손에 넣자마자 우리가 그들을 덮치는 겁니다.

왕자　그렇군, 하지만 그네들이 우리가 타고 있는 말이나 복장, 그리고 모든 장비들을 보고 눈치 챌 텐데.

포인즈　그들은 우리의 말을 볼 수 없을 겁니다. 제가 말들을 숲속에다 묶어놓을 거거든요. 우리는 그들이 떠난 뒤에 마스크를 바꾸어 쓸 겁
　니다. 그리고 이 경우를 대비해서 임시로 입을 아주 허름한 옷을 준비했습니다. 그래서 눈에 띄는 의복을 감출 수 있게 말입니다.

왕자　그래, 하지만 난 그들이 우리보다 너무 강할까봐 걱정이 되네.

포인즈　아닙니다. 그들 중에 두 명에 대해서라면 제가 잘 알고 있는데요,

무서워서 뒷걸음을 친 놈들 중에 가장 순종 겁쟁이입니다. 그리고 그 세 번째 놈에 대해선 만약 그가 어느 선을 넘어서 싸움을 길게 하면 제가 무장을 포기하겠습니다. 이 장난의 묘미는 살찐 악당 놈이 저녁식사 때 우리에게 하게 될 그 터무니없는 거짓말이 될 겁니다. 그가 얼마나 싸우느라 목이 말랐는지, 어떤 타격, 방어 자세, 그리고 무슨 최후의 수단들을 견뎌내야 했는지 같은 거 말입니다. 인생을 반박하는 데 재미가 있는 게 아니겠습니까. 125

왕자 그러면, 자네와 함께 가겠네. 우리에게 필요한 것들 주고, 내일 밤 이스트 칩에서 만나세. 거기에서 난 저녁을 먹고 있겠네. 그럼 잘 가게. 130

포인즈 네, 안녕히 계십시오. (퇴장)

왕자 난 너희 모두를 알고 있다. 잠시 동안 너의 게으름의 고삐 풀린 행동에 동조할 것이다. 그러나 이 속에서 나는 그 고약한 전염성 구름이 그의 아름다움을 세상으로부터 덮어버리도록 허락한 태양을 모방할 것이다, 그래서 그가 다시 기쁘게 그 자신이 될 때, 135 오랫동안 보이지 않았던 그는 그를 질식시킨 것처럼 보였던 수증기의 더럽고 추한 안개를 뚫고 나타남으로써 더욱 의아하게 여겨지게 될 것이다. 만약 일 년 내내 휴일이라면, 노는 것이 일하는 140 것만큼 진부한 것이 되겠지. 그러나 그것들이 좀처럼 오지 않을 때, 간절하게 소망되는 것이다. 예기치 않은 사건 말고 즐겁게 할 수 있는 것은 아무것도 없다. 그래서 내가 이 느슨한 행동을 던져 버리고, 내가 결코 약속하지 않은 빚을 청산할 때, 내가 나의 말보다 얼마나 더 괜찮은지에 의해서, 내가 사람들의 예상이 잘못 145

되었다는 것을 증명할 그만큼에 의해서, 그리고 어두운 땅에서 빛나는 금속과 같이, 나의 결점 위에서 빛나는 나의 변신은 돋보이게 할 그 어떤 대조되는 것보다, 더 훌륭하게 보이고, 더 많은 눈을 매혹시킬 것이다. 그래서 악행을 하나의 교묘한 술책으로 만들기 위해서, 나는 사람들이 나를 가장 하찮다고 생각할 때 잃어버린 시간을 보충하기 위해 악행을 저지를 것이다.

150

퇴장.

3장

윈저. 궁정회의실.

왕, 노섬벌랜드, 우스터, 핫스퍼, 월터 블런트 경이 시종들과 등장.

왕 짐의 피가 너무도 차갑고 절제되어 있어서 이러한 무례함에 동요
될 수 없습니다. 여러분들도 그걸 잘 알고 있는 것 같고요. ─이렇
게 나의 인내심을 시험하고 있으니 말입니다. 그러나 지금부터는
나의 천성보다 오히려 왕이란 자아가 되어 더 강력해지고, 두려   5
워 할 수 있도록 할 것입니다. 내 천성은 기름처럼 매끄러웠고,
어린 아이처럼 부드러워서 당연히 받아야 할 존경을 받지 못하였
습니다. 자존심이 강하여 영혼이 오만한 자들은 오만한 자만을
존경하는 법이니까요.

우스터 우리의 통치자시여, 우리 가문은 지금까지 지켜온 위대함과 명예   10
에 대해 응징 받기에 결코 합당하지 않습니다. 게다가 이 명예가
저희 손에 의해 번성한 것이라면 더욱 그렇습니다.

노섬벌랜드 폐하─

왕 우스터, 가보시오. 당신의 눈에 위험과 불손함이 깃들어있군요.   15
아아, 경, 당신의 태도는 너무도 대담하고 거만하군요, 그래서 짐
은 결코 신하의 찡그린 얼굴이 보여주는 위협적인 표정을 참아낼
수가 없습니다. 경은 과인을 떠날 정당한 허가를 받았소. 경의 조

언이 필요할 때 사람을 보내겠소. (우스터 퇴장) (노섬벌랜드에게.) 경이

무언가 말을 하려고 했지요.

노섬벌랜드 네 선하신 폐하. 폐하의 이름으로 요구된 해리 퍼시가 홀메

돈에서 포획한 포로들이, 해리도 말했듯이, 폐하에게 알려진 것

같이 그렇게 단호히 거절된 것이 아닙니다. 그러므로 저의 아들

이 아니라, 악의에 찬 시기나 오해가 이 사단의 원인입니다.

핫스퍼 폐하, 저는 결코 어떤 포로들도 거절하지 않았습니다. 하지만 한

가지 기억나는 것이 있습니다. 싸움이 끝났을 때, 저는 격정적인

전투로 황폐해져서, 숨을 쉴 수 없었고, 정신마저 혼미해서, 겨우

제 칼에 몸을 의지하고 있었습니다. 그때 한 궁정인이 오셨는데,

우아하고 산뜻하게 잘 차려 입었고, 새신랑과 같이 신선했고, 새

로 면도를 한 그의 턱은 추수 끝에 낫으로 베어낸 곡물의 그루터

기와 같았습니다. 그는 방물장수처럼 향수 냄새가 났고 엄지와

검지사이로 조그만 상자를 들고 있었습니다. 그는 그 상자에 코

를 가져다 대었다가, 다시 떼곤 했습니다—그 상자를 코에서 뗄

때, 그의 코는 성이 났고, 다시 갖다 대었을 때 숨을 깊이 안으로

들이마셨습니다.—그는 여전히 미소를 지으면서 말을 했습니다.

그리고 병사들이 시체를 운반할 때, 그는 시체를 바람 부는 쪽으

로 운반하여 정중하지 못하게 자신을 더럽게 하는 못 배운 놈들

이라고 병사들에게 욕을 하였습니다. 세련되고 우아한 용어를 구

사하면서, 폐하를 대신해서 저의 포로들을 요구하였습니다. 그때

저는 상처가 응고되고 있어서 온 몸이 쿡쿡 쑤시고, 앵무새 같은

수다스러움으로 인해 괴로움을 당하고 있어서, 고통과 조급함으

로 대답을 대충 하였는데, 저는 그가 무엇을 물어보고 무엇을 물어보지 않았는지도 알 수가 없는 상태였습니다. 왜냐하면 그가 그렇게 쾌적하게 빛나고, 그렇게 달콤한 향기가 나며, 총·북· 상처에 대해서 시중드는 부인처럼 말할 수 있다는 것을 저에게 보여주기 위해서 저를 미칠 지경으로 몰아갔으니까요. 용서하십시오! 그리고 그는 내상을 가장 잘 낫게 하는 것은 고래 기름이라고 하고, 망할 놈의 초석이 이 땅에서 발견되어 비겁하게 귀한 목숨을 수없이 앗아갔고, 비열한 총이 없었더라면 자기 자신도 훌륭한 군인이 될 수도 있었을 거라고 말했습니다. 폐하, 그의 이러한 앞뒤가 맞지 않은 잡담에 전 무심히 답변을 한 것이었습니다. 말씀드렸듯이, 간청하건대 그자가 보고한 것이 저의 충절과 높으신 폐하 사이를 갈라놓을 죄명의 근거가 되지 않도록 해주십시오.

블런트 선하신 폐하, 상황을 고려하건대, 해리 퍼시 경이 그 당시 그러한 자에게, 그 장소에서, 그 시각에, 말한 것이 무엇이든, 지금 모든 내막이 설명이 되었으므로, 마땅히 잊혀져야 하고, 그리고 결코 그에게 해가 되도록 작용해서는 안 되며, 그가 말한 것이, 그를 탄핵하기 위해 다시 거론되어서는 안 된다고 생각합니다.

왕 하지만 이것 보시오, 그는 포로들을 넘겨줄 것을 거절하였소. 짐이 예외적인 조건으로, 자비를 베풀어서 그의 처남인 그 어리석은 모티머를 곧장 보석시켰는데도 말이오. 모티머는 대마술사인 저주받을 글렌다워에게 대항해서 싸우도록 이끈 부하들의 목숨을 고의적으로 배반하였소. 또한 우리가 들은 것처럼, 마치 백작

은 그의 딸과 최근에 결혼하였소. 그러면 우리의 국고가 배반자
를 고향으로 인도하기 위해서 축이 나야 한단 말입니까? 그들이
패배하고 적에게 투항을 한 때, 우리는 그들의 배신을 사고 그 공
포의 원인이 된 자들과 조약을 맺어야 합니까? 안 됩니다, 헐벗은
산 위에서 그를 굶어죽게 할 것입니다. 나에게 반란을 일으킨 모
티머를 보석시키기 위해서 말로써 단 한 푼이라도 요구한 그런
사람은 결단코 용서하지 않을 것입니다.

핫스퍼 반란을 일으킨 모티머라니요! 저의 주권자이신 폐하, 전쟁의 경
우 말고는 그는 절대로 군대를 일으킨 적이 없습니다. 그것이 진
실이라는 것을 증명하기 위해서 그 모든 상처들, 그가 용감하게
입은 그 유명한 상처들에 대해 말하는 것 말고는 더 이상 필요한
것이 없습니다. 그때 온화한 쎄번의 사초가 무성한 둑 위에서 한
적대자와 상접하여, 위대한 글렌다워와 용맹스러운 칼날을 교환
하면서 한 시간 정도를 소비했습니다. 세 번 그들은 숨을 고르기
위해서 휴전을 했고, 쎄번의 거친 물살 때문에 상호 동의에 의해
서 세 번 물을 마시기 위해서 멈추었습니다. 그 때 쎄번의 물살은
그들의 피로 덮인 얼굴에 겁먹어서 공포에 떨며 갈대숲 가운데로
흘러가서, 이러한 용감한 전투자들의 피로 얼룩진 텅 빈 둑 속에
파문이 인 그의 머리를 감추었습니다. 저속하고 부패한 음모도
그러한 치명적인 상처로 자기의 일을 변장하지 않을 것이고, 또
한 고상한 모티머도 결코 이렇게 많은 음모, 그것도 모두 의도적
인 것들을 받을 수 는 없습니다. 그러므로 그가 반란자로 비방되
게 허락하지 말아주십시오.

왕 자네는 거짓을 전하고 있군, 퍼시. 자네는 잘못 전하고 있어. 그

는 결코 글렌다워와 싸우지 않았네. 경에게 말하겠는데, 그가 오 115

언 글렌다워와 맞설 수 있다면 홀로 악마하고도 맞설 수 있을 거

야. 자네 부끄럽지 않은가? 이제부터는, 자네가 모티머에 대해서

말하는 것을 듣지 않겠네. 그리고 자네 포로를 최대한 신속하게

보내게. 그렇지 않으면 좋지 않은 소식을 듣게 될 걸세. 나의 노 120

섬벌랜드 경, 당신이 당신 아들과 떠날 것을 허가하오. 포로들을

보내시오. 아니면 화를 입게 될 것이오.

왕 퇴장 [블런트와 시종과 함께].

핫스퍼 악마가 와서 포로들을 달라고 으르렁댄다고 해도 난 그들을 보내 125

지 않을 겁니다. 난 곧장 뒤쫓아 가서 왕에게 이렇게 말할 겁니

다. 비록 목숨을 잃게 될 위험이 있을지라도 내 마음은 편하게 될

테니까요.

노섬벌랜드 뭐라고, 성마름에 완전히 취해버렸구나? 여기서 잠시 진정하

고 있거라. 너의 숙부께서 오시는구나. 130

우스터 다시 등장.

핫스퍼 모티머에 대해서 말하지 말라고? 쳇, 난 그에 대해서 말을 할 겁

니다. 내가 그에게 동조하지 않으면 내 영혼이 저주받도록 할 것

입니다. 그렇습니다. 그를 위해서는 난 이 정맥들부터 피를 비워

내서 나의 소중한 피를 한 방울 한 방울씩 땅 위에 떨어지게 할 135

것입니다. 난 추락된 모티머를 이 감사할 줄 모르는 왕, 이 배은
망덕하고 부패한 볼링브록 못지않게 하늘 높이 추대할 것입니다.

노섬벌랜드 아우님, 왕께서 당신 조카를 이렇게 실성하도록 만드셨다네.

140 **우스터** 제가 나간 뒤에 누가 이 분노에 기름 부었습니까?

핫스퍼 왕은 분명히 나의 모든 포로들을 몰수할 것입니다. 그리고 내가
내 처남에 대해 다시 한 번 보석을 간청하였을 때, 모티머라는 이
름에 부들부들 떨면서 그의 볼은 창백해지고 죽음의 눈길을 내게

145 보냈습니다.

우스터 그를 비난할 수는 없네. 모티머는 돌아가신 리처드에 의해서 왕
권의 후계자라고 선포되지 않았나?

노섬벌랜드 그랬었지요. 나도 그 지명 발표를 들었어요. 그때였었지. 불

150 행하신 왕ー우리의 잘못을 용서해주시기를!ー그는 아일랜드 원
정을 떠나셨다가, 도중하차하여 돌아와 왕위를 찬탈당하고, 곧
살해를 당하셨지.

우스터 그의 죽음으로 우리 가문은 세상 사람들로부터 온갖 비방을 받으

155 면서 살고 있지요.

핫스퍼 잠시만요, 리처드 왕이 그때 나의 처남 에드먼드 모티머를 그의
왕위 계승자로 선포하셨단 말입니까?

노섬벌랜드 그랬었지, 내가 직접 들었다.

160 **핫스퍼** 아니, 그러면 왕을 비난만 할 수는 없겠군요. 왕은 내 처남이 헐
벗은 산에서 굶어죽기를 바란다고 했지만, 이 감사할 줄 모르는
이의 머리 위에 왕관을 씌워 준 것은 두 분이지 않습니까? 그리
고 그를 위하여 교사된 살해라고 하는 혐오스러운 오점을 감수하

고―대행인 아니 천한 도구가 되어서, 밧줄·사다리, 아니 사형
집행수라는 세상의 저주를 감내하시지 않으셨습니까?―두 분이
이 음흉한 왕을 위해 감수한 그 상황과 역경을 보여드리기 위해 165
서 제가 너무 심하게 말한 것을 용서해주십시오! 당대에 수치스
럽게 비난당하거나 미래의 연대기에 그렇게 기록되도록 하시겠
습니까? 고상함과 권력을 지니신 두 분이 그 두 가지를 부정의한 170
일, 달콤하고 사랑스러운 장미인 리처드를 왕위에서 끌어내리고
이 가시, 이 야생 장미인 볼링브록을 그 자리에 심는 일에 저당 175
잡히셨다는 것을요?―두 분이 하신 과오를 주님께서 용서하시
길. 그리고 더 많은 수치로 두 분이 이러한 수치를 껴안도록 한 180
그 사람에 의해서 이용당하고, 버려지고 끝내는 쫓겨나게 되었다
는 것이 회자되도록 하시겠습니까? 아닙니다, 추방당한 명예를
회복하고, 다시 두 분에 대한 세상의 호평을 회복시킬 때가 되었 185
습니다. 이 오만한 왕의 조롱하고 경멸하는 저주에 복수하십시오.
그는 두 분에게 진 빚에 변명할 궁리를 밤낮으로 찾고 있습니다.
심지어 두 분의 죽음이라고 하는 유혈 지불로서 말입니다. 그러
므로 제가 말씀드리겠는데요―

우스터 진정하고 더 이상 말하지 말게, 조카. 지금 내가 비밀기록을 펼쳐 190
보이겠네. 자네가 성급하게 품게 된 불만에 대해, 창끝의 위태로
운 발판에 올라서 크게 일렁이는 해류 위를 걷는 것만큼 위험과
모험정신으로 가득 찬 심각하고 위험한 문제들을 읽어주겠네. 195

핫스퍼 그를 추락시킬 수만 있다면, 가라앉든, 수영을 하던 간에, 좋은
밤이 되겠지요! 위험을 동쪽에서부터 서쪽으로 보내고, 그처럼

명예가 북쪽에서부터 남쪽으로 그것과 교차하도록 해서 그것들
이 서로 격투하도록 해야 합니다. 아, 산토끼를 모는 것보다 사자
를 선동하는 것이 피가 더욱 끓어오르는 법이지!

노섬벌랜드 엄청난 음모에 대한 생각으로 인내심의 한계를 넘고 있나 보
구나.

핫스퍼 맹세코, 창백한 얼굴을 한 달로부터 빛나는 명예를 뽑아내서, 깊
은 밑바닥, 측연선이 바닥을 닿은 수 없는 곳까지 뛰어내려서 물
에 빠진 명예의 머리채를 잡고 뿌리째 뽑는 것은 쉬운 도약이었
다고 생각합니다. 그래서 달을 해방시킨 그는 그렇기 때문에 동
반자 없이 달의 모든 위엄을 입을 수도 있었겠지요. 하지만 이런
반 토막 난 협력은 안 될 말이죠!

우스터 대충은 알고 있지만, 정작 알아야 할 것은 간과하고 있구나. 선한
조카님, 잠시 내 말을 들으시오.

핫스퍼 숙부님께 자비를 호소합니다.

우스터 자네의 포로들인 그 똑같이 소중한 스코틀랜드 인들 말인데 ―

핫스퍼 그들 모두들 다 가질 것입니다. 맹세하건대 저 왕은 그들 중 한 명
도 갖지 못하게 될 것입니다. 아니, 설령 한 명의 스코틀랜드 인이
그의 영혼을 구할 수 있다 하더라도, 그는 갖지 못할 것입니다. 제
가 다 가질 것입니다. 이 손으로 말입니다!

우스터 자네 또 시작하는군. 나의 계획에는 어떤 귀도 빌려주지 않고. 자
네가 가지겠다는 그 포로들 ―

핫스퍼 글쎄, 전 가질 것입니다. 확실히 아룁니다! 왕은 모티머를 보석하
지 않을 것이라 말했고, 제 혀가 모티머에 대해 말하는 것을 금지

하였지만, 전 그가 자고 있을 때 그를 찾아가 그의 귀에 "모티
머!"하고 외칠 겁니다. 아니, 전 "모티머"를 제외하고는 아무것도   230
말하지 못하도록 훈련받은 찌르레기 새를 구해서 왕에게 줄 것입
니다. 그래서 그의 화를 계속해서 돋우도록 말입니다.

우스터 조카야 내 말을 들어보거라, 한 마디라도.

핫스퍼 전 이 볼링브룩의 속을 태우게 하고 괴롭히는 것을 제외하고는   235
모든 근심을 엄숙하게 부인합니다. 그리고 저 똑같이 허세부리는
웨일즈 왕자, 그의 아버지가 그를 사랑하지 않는다는 것을 알지
만 그래도 그가 불운을 만난다면 재미가 있을 것입니다 — 난 그
가 술병으로 자신을 망가뜨리게 할 것입니다.

우스터 잘 있게, 조카. 자네가 좀 진정이 될 때 이야기하겠네.   240

노섬벌랜드 참, 얼마나 벌에 쏘인 듯 조바심내고 있는 바보란 말인가! 넌
이렇게 아낙네의 변덕으로 침범하여 너 자신의 말 이외에는 도무
지 어떤 말에도 귀를 기울이지 않는구나!

핫스퍼 저, 보세요. 저는 교활한 정치가 볼링브룩에 대해서 들을 때마다,   245
긴 회초리로 채찍질 당하고 개미에 의해 물리고 찔리는 듯이 참
을 수가 없습니다. 리처드 왕 시절에 — 그 장소가 어디였지요? 그
재앙이 있었던 곳이요, 글로스터 지역에 있던 곳인데 — 그의 숙부
요크 공작이 소유하고 있던 곳이죠. 거기에서 전 처음으로 미소
짓고 있는 왕, 볼링브룩에게 무릎을 꿇었지요. 빌어먹을, 그때 아   250
버지와 그는 라벤스퍼로에서 돌아왔었죠.

노섬벌랜드 버클리 성이었다.

핫스퍼 네 맞습니다. 그 때 꼬리를 치며 아양 부리던 사냥개는 나에게 얼   255

마나 사탕 발린 말들을 남발했는지! "유아기 운이 성년이 될 시기가 되면", 그리고 "고상한 해리 퍼시", "친절한 사촌"이라고 했지요. 아, 악마가 이런 아첨꾼을 잡아먹기를!―주님 용서하십시오! 숙부님, 하실 말씀을 하시지요, 제 이야기는 다했습니다.

우스터 아니다, 더 하고 싶으면, 더 하거라, 우린 너의 유유자적에 머물고 있을 테니까.

핫스퍼 정말로 다 했습니다.

우스터 그러면 다시 한 번 자네 스코틀랜드인 포로 이야기로 돌아가서, 보상금에 상관없이 즉시 그들을 인도하고, 더글라스의 아들을 통해 스코틀랜드에서 모병하도록 해라. 내가 너에게 써서 보내는 많은 이유들 때문에 쉽게 수락할 것이다. (노섬벌랜드에게) 형님께서는, 스코틀랜드에서 당신의 아들이 일을 추진하는 동안, 비밀리에 신망이 높은 대주교의 신뢰를 얻도록 해주십시오.

핫스퍼 요크의 대주교, 말이지요?

우스터 그렇네. 그는 브리스토우에서 그의 형제인 스크루프 경의 죽음을 힘겹게 참아내고 있지. 난 이것을 추측으로 말하고 있는 것이 아니라네. 내가 생각한 것은 추측에 의한 것일지 모르나 내가 알고 있는 것은 철저히 반추되었고, 계획되었고, 기록되었다네, 그리고 이것을 일으킬 이 필요의 얼굴을 만나기 위해서만 머무르고 있네.

핫스퍼 무슨 말씀인지 알겠습니다. 반드시 이 계획은 잘 수행이 될 것입니다.

노섬벌랜드 게임이 시작하기도 전에, 넌 항상 사냥개들을 풀어놓는구나.

핫스퍼 무슨 말씀을요. 이건 분명 훌륭한 계획임이 틀림없습니다. 그런 다음 스코틀랜드와 요크 병력이 모티머와 합세하는 거지요, 그렇죠?

우스터 그렇다, 그렇게 될 것이다.

핫스퍼 참으로 훌륭한 계획이군요. 290

우스터 병력을 일으킴으로써 우리의 병력을 구하는 데 우리의 속력을 경
매할 어떤 이유도 없네. 왜냐하면, 우리가 아무리 공정하게 처신
해도, 왕은 언제나 우리에게 진 빚 때문에 그 대가를 지불할 때까
지 우리가 불만족스러워 한다고 생각하고 있기 때문이다. 그리고 295
이미 그가 우리를 어떻게 소외시키기 시작했는지를 보지 않았나.

핫스퍼 그렇습니다. 그가 그렇게 했지요. 우리는 그에게 복수당할 것입니다.

우스터 조카, 잘 가게. 이 일을 서신으로 자네에게 지시하는 것보다 더 300
진척시키지 말게나. 때가 무르익으면, 갑작스럽게 이루어질 테지
만, 난 글렌다워와 모티머 경에게 갈 것이다. 그리고 거기에서 내
가 계획한대로, 자네와 더글라스, 그리고 나의 군대가 행복하게
조우해서, 지금 우리가 커다란 불확신으로 붙잡고 있는 우리의 305
운명을 우리의 강한 군대에 의탁하게 될 것이야.

노섬벌랜드 잘 가시오, 훌륭하신 아우님, 우리는 성공할 것이다. 내가 그
렇게 믿는다.

핫스퍼 안녕히 가십시오, 숙부님. 아 이 시간이 짧아지도록 하여라. 이
대지, 강풍 그리고 신음소리들이 우리의 거사에 박수갈채를 보낼
때까지! 310

전원 퇴장.

2막

1장

로체스터. 한 여관 뜰.

인부 한 명이 손에 호롱 등을 들고 등장.

인부1 아아! 새벽 네 시가 틀림없을 거야. 북두칠성이 저 새 굴뚝 위에 걸려 있잖아. 그런데 우리의 말이 떠날 차비를 아직도 하지 않네. 여봐, 마부!

마부 (안에서) 네 곧 갑니다.

인부1 톰, 부탁하는데, 말의 안장이 부드럽도록 앞머리 쪽 밑에 털을 좀 넣어주게. 지친 늙은 말 등이 쓸려서 말할 수도 없이 벗겨졌어.

또 한 명의 인부 등장.

인부2 여기에 있는 말 먹이 완두콩과 강낭콩은 완전히 축축해. 이건 불쌍한 말들에게 내장에 병균을 주는 가장 빠른 방법이지. 이 여관은 로빈 마부가 죽은 이래 완전히 엉망이 되었어.

인부1 그 불쌍한 친구는 귀리 값이 오른 이래 노상 울상이었지. 그게 그를 죽게 만든 거야.

인부2 난 이곳이 런던 길가에 있는 여관 중에서 벼룩으로 가장 악명 높은 곳이라고 생각하네. 난 하도 물려서 점박이 잉어처럼 되었어.

인부1 점박이 잉어처럼이라고! 첫 닭이 운 이래로 내가 물린 것보다 더

많이 물린 그리스도교 나라의 왕은 결코 없을 거네.   15

인부2 뻔하지 않은가. 여기선 우리에게 결코 요강을 주지 않아. 그러니
우리는 난로에 실례를 하지. 그래서 오줌은 미꾸라지처럼 벼룩을
낳게 되는 거야.

인부1 이봐, 마부! 빨리 오게. 아니면 목을 메달 테니, 어서!

인부2 샤링 크로스까지 햄 덩어리하고 생강 두 뿌리를 배달해야해.

인부1 내 광주리 속에 있는 칠면조는 상당히 굶주려 있어. 여봐, 마부!   20
도대체 머리통에 눈이 박히긴 한거야? 귀가 먹었어? 네 머리통을
부수는 것이 술을 마시는 것만큼 쉬운 일이라구. 빨리 와, 네 목을
매달아주겠다! 이렇게 신용이 없다니?

개즈힐 등장.

개즈힐 안녕하신가, 인부 양반들, 몇 시나 되었나?

인부1 두 시쯤 되었을 걸세.   25

개즈힐 자네 호롱 등을 좀 빌려주게. 마구간에 있는 거세한 내 말을 좀
봐야 겠네.

인부1 싫네. 난 그런 오래된 속임수에 넘어갈 만큼 멍청하지 않아.

개즈힐 자네 것을 빌려주도록 간청하네.

인부2 뭐 몇 시라구? 몇 시인 줄 알겠나? 호롱 등을 빌려주게, 라고 말   30
한 건가! 네가 제일 처음에 목매달려 죽는 걸 보게 되기를.

개즈힐 이것 봐 인부, 언제 런던으로 돌아올 건가?

인부2 촛불을 들고 잠자리에 들기에 충분한 시간이지. 내가 보증하건대.
이리 오게 친구 머그즈, 귀족들을 깨우자구. 그들은 귀중한 짐들

을 가지고 있어서 모두 함께 떠날 거야.

인부들 퇴장.

35 **개즈힐** 이봐! 시종!

시종 등장.

시종 "소매치기가 말하듯이, 준비됐습니다."

개즈힐 그건 "시종이 말하듯이, 준비됐습니다"라고 하는 게 낫겠군. 일을 지시하는 것이 그 일을 직접 하는 것과 다르지 않은 것처럼 네가 소매치기하는 것과 다르지 않기 때문이야. 네가 그 계획을 고안하니까 말이야.

40 **시종** 안녕하세요, 개즈힐 나리. 제가 어젯밤에 말씀드린 거요, 아직도 유효해요. 금화 삼백 마르크를 가지고 오는 켄트 지역의 시골에서 오는 소지주가 있어요. 지난 밤 저녁 식사 때 그의 일행 중의 한 사람에게 말하는 것을 들었어요. 일종의 회계사 같아 보였고 큰 짐을 가지고 있었어요. 그들은 이미 일어나서 달걀과 베이컨을 주문했어요—곧 떠날 거 같아요.

45 **개즈힐** 여봐, 만약 그들이 노상강도 니콜라스 성자의 서기관들과 만나지 않으면, 내가 너에게 이 목을 주겠다.

시종 아니요, 난 아무것도 갖지 않을 거예요. 전 그것을 당신이 교수형 집행인을 위해서 보관하기를 바래요. 당신은 거짓말쟁이가 그러는 만큼 진실로 니콜라스 성자를 경배한다는 것을 아니까요.

개즈힐 그 교수형 집행인에 대해서 뭐라고 말했지? 내가 교수형을 집행
한다면, 난 아주 살찐 교수대 한 쌍을 만들 거다. 왜냐하면 내가
매달리면, 늙은 존 경도 나와 함께 매달리게 될 테니까 말이야. 50
너도 알다시피 그는 굶주려서 여윈 사람은 아니거든. 네가 생각
하지 못한 좋은 동업자들이 있어. 그들은 재미 삼아서 강도질에
우아함을 부여하고 그들 자신의 신용을 위해서 모든 것을 바로잡
는 데 만족하는 자들이지. 난 거리를 떠도는 노상강도들, 단지 잔
돈푼을 뜯어내는 놈들, 콧수염이 잔뜩 나고 얼굴이 자줏빛인 정
신 나간 술고래들 중 어느 누구와도 동업하지 않아. 오히려 비밀
을 지킬 수 있고, 말하는 것보다 때리는 것이 더 빠르고, 마시는 55
것보다 말하는 것이 더 빠르고, 기도하는 것보다 마시는 게 더 빠
른 고상하고 평화로운 삶을 사는 자들이나 관청관리들과 힘이 있
는 사람들과 어울리지. 그러나 거짓말이야, 왜냐하면 그들은 그
들의 성자인 국가에 계속해서 기도하거나, 또는 국가에 기도하지
않고, 국가를 잡아먹지, 왜냐하면 그들은 국가 위로 올라탔다 내
려왔다 하면서 국가를 약탈 물로 만들기 때문이야.

시종 뭐라고요? 나라가 그들의 약탈물이라고요? 나라가 이 흙탕물로부
터 건재할 수 있을까요? 60

개즈힐 그럴 거야. 정의가 국가에 방수처리를 했으니까. 우리는 완벽한
보완 속에서 강도질을 하지. 양치류 포자의 비법이 있어서, 보이
지 않게 걸어 다닐 수 있어.

시종 아니, 맹세코, 보이지 않게 걸어 다닐 수 있는 것은 포자 씨앗보
다 밤의 어둠 때문인 거 같은데요.

⁶⁵ **개즈힐** 협정을 맺자. 우리가 턴 것 중에 네 몫을 갖게 될 것이다. 왜냐하면 난 정직한 사내이니까.

시종 아니오, 그보다 제가 직접 가질래요, 나리는 부정직한 도둑이니까요.

개즈힐 도둑이라고! '인간'이란 명칭이 누구에게나 해당되는 이름인데도. 마부에게 내 말을 가져달라고 해라. 잘 가라, 멍텅구리 녀석.

모두 퇴장.

2장

개즈 힐. 한 길.

왕자, 포인즈, 피토, 그리고 바돌프 등장.

포인즈 여기 보십시오, 숨을 곳입니다. 숨을 곳이요! 폴스타프의 말을 숨
겨놓아서 그는 고무로 뻣뻣하게 한 값싼 벨벳처럼 투덜거리고 있
어요.

왕자 숨자! (포인즈, 피토, 바돌프와 함께 뒤로 물러난다.)

폴스타프 등장.

폴스타프 포인즈! 포인즈, 네 목을 매달 테다! 포인즈!

왕자 (앞으로 나오면서) 진정하게, 여 배불뚝이 악당, 무엇 때문에 이리 큰 ₅
소리로 떠들어대는 거지!

폴스타프 할, 포인즈 어디에 있나?

왕자 저 언덕 꼭대기로 걸어올라 갔네. 내가 가서 그를 찾아보겠네. (뒤
로 물러남.)

폴스타프 도적떼들과 강도질을 한 끌이지 뭐야. 저 악당 놈이 내 말을 가
져가서 나도 모르는 곳에 묶어놨으니. 정확하게 4피트만 더 가면, ₁₀
숨통이 끊어질 거야. 내가 저 악당 놈을 죽인 죄로 목이 달리지
않는다면, 난 편히 죽을 수 있을 텐데. 난 그의 일당들을 이 22년

동안 매 시간 아니 항상 부인해왔어. 그런데 저 악당의 패거리들의 마법에 걸려들어 버렸어. 저 악당이 자기를 사랑하게 하는 약을 나에게 먹인 것이 틀림없어. 그 밖에 다른 것이 있을 수 없어. 난 약을 마신 거야. 포인즈! 할! 너희 두 놈 다에게 역병이 내리기를! 바돌프! 피토! 난 단 한 치를 더 걷기 전에 굶어죽을 거야―만약 정직한 사람이 되어 이 악당 놈들을 떠나는 것이 술을 마시는 것만큼 좋은 행동이 아니라면, 난 지금까지 이로 먹이를 씹는 동물 중에서 가장 완벽한 악당이다. 고르지 않은 땅의 8야드는 나에게 70마일과 같아. 저 돌같이 냉정한 악당들은 그것을 충분히 잘 알고 있어. 도적들이 서로에게 정직하지 않을 때 저주가 내리기를! (그들 휘파람 소리를 낸다.) 휴! 너희 모두에게 역병이 내려라, 내 말을 돌려다오, 너 악당들아. 내 말을 돌려달라구 아니면 목을 매달아버리겠다! (왕자, 포인즈, 피토, 바돌프 앞으로 나온다.)

왕자 (앞으로 나오면서.) 진정해, 이 살찐 양반. 누워서 자네 귀를 땅에 가까이 대게. 그리고 자네가 여행자들의 발소리를 들을 수 있는지 보게.

폴스타프 나를 다시 들어 올릴 지렛대가 있나? 제기랄 난 너의 아버지의 국고에 넣을 동전을 위해서 다시는 나의 이 살들을 이렇게 먼 곳까지 운반하지 않을 거야. 도대체 이렇게 해서 어떻게 날 속이려고 하는 거지?

왕자 자네 거짓말을 하고 있군. 자네는 속임을 당한 게 아니야. 자네는 말 도둑을 당한 거야.

폴스타프 선한 왕자 할, 제발 내 말을 찾을 수 있도록 도와주게. 선한 왕의 아들이여.

왕자 썩 꺼져, 이 무뢰한, 나보고 너의 마부가 되라는 거야?

폴스타프 네가 명백한 후계자라고 써놓은 가터로 목매달아 죽기를! 내가 ₃₀
잡히면 이걸 증거로 내놓을 거야. 내 죽어도 너희들에 관한 시를
지어서 더러운 음조에 맞추어 노래 부르게 하고 말 테다. 장난이
너무 심할 때 그리고 내가 걸어야 할 때가 너무 싫다.

개즈힐 등장.

개즈힐 서라.

폴스타프 그렇게 하고 있네, 내 의지와 반대로.

포인즈 오, 이거 우리 참모 아닌가. 내가 그의 목소리를 알고 있지. 바돌 ₃₅
프, 무슨 일이지? 바돌프 무슨 일인가?

개즈힐 각자 가면을 쓰게, 가면을 써. 언덕 아래로 내려오는 왕의 돈이
있네. 그건 왕의 국고로 가는 중일세.

폴스타프 여보게, 악당, 자네는 거짓말을 하고 있구나. 그건 왕의 술집으
로 들어가고 있는 중이지.

개즈힐 우리가 한몫 챙기기에 충분한 양이지. ₄₀

폴스타프 목이 매달리게 되기에 충분하지.

왕자 여보게들, 자네 넷은 좁은 길에서 그들과 맞서게 될 거야. 네드
포인즈와 난 좀 더 아래쪽으로 갈 거네―만약 그들이 요행이 자
네들을 피해서 간다면, 그들은 우리와 만나겠지.

피토 그 일행은 몇 명이나 되지?

개즈힐 여덟이나 열 명이 될 거요. ₄₅

폴스타프 쳇, 그들이 우리를 강탈하지 않을까?

왕자 존 폰치 경, 이거 겁쟁이 아닌가?

폴스타프 정말로 난 자네 할아버지인 곤트의 존이 아니네. 하지만 겁쟁이도 아니지, 할.

왕자 글쎄, 두고 보면 알겠지.

포인즈 이봐, 잭, 자네 말이 저 산울타리 뒤에 있어. 말이 필요할 때, 거기에서 찾을 수 있을 걸세. 잘 있게, 꼼짝 말고 서 있게나.

폴스타프 이제 그를 칠 수가 없게 되었네, 설령 목이 매달린다고 해도 말야.

왕자 네드, 우리 변장도구가 어디에 있지?

포인즈 여기요, 근처예요, 숨으시죠.

왕자와 포인즈 퇴장.

폴스타프 이제, 나의 동료들, 행운이 있기를. 내가 말한다—모든 자는 각자의 맡은 역할로.

여행자들 등장.

여행자1 여보게, 어서 오게. 자 아이보고 우리 말들을 언덕 아래로 몰고 가라고 하고 우린 잠시 걸어서 다리를 좀 풀도록 하지.

강도들 서라!

여행자2 세상에 맙소사!

폴스타프 쳐라, 그들을 덮쳐라. 저 놈들의 목을 베어라! 아, 천한 모충들,

살찐 무뢰한. 그들은 우리 젊은이들을 증오하지! 그들을 덮쳐서 짐을 털어라!

여행자1 아 우리는 망했네, 우리도 우리 재산도 모두 다!

폴스타프 너의 목을 매달 것이다, 이 올챙이배를 한 놈들아. 네 놈들이 망했다고? 아니지, 이 살찐 구두쇠들, 내가 너희가 가진 모든 것을 여기에 다 내놓게 하겠다! 뭐, 너 악당 놈들! 젊은이들이 살아야 한다. 너희들 배심원이지, 그렇지? 우리가 너희를 배심할 것이다. 65

여기서 그들을 강탈하고 묶는다. 모두 퇴장.
왕자와 포인즈 가장하고 다시 등장.

왕자 도적들이 정직한 이들을 포박했구나. 이제 자네와 내가 도둑이 되어, 즐겁게 런던으로 갈 수 있겠군, 이 일은 한 주 동안의 이야 깃거리가 되고, 한 달간의 웃음거리가 되고 영원히 좋은 농담거리가 될 것이다.

포인즈 숨으십시오. 그들이 오는 소리가 들립니다.

둘은 뒤로 물러난다.
도둑들 다시 등장.

폴스타프 자, 이보게들, 우리의 몫을 나누고 날이 밝기 전에 말이 있는 70 곳으로 가세. 왕자와 포인즈 같은 비겁한 겁쟁이는 없을 거야. 포 인즈는 야생오리만큼도 용기가 없어.

그들이 몫을 나눌 때 왕자와 포인즈가 그들을 덮친다.

왕자 돈을 내놔라!

포인즈 악당 놈들!

그들 모두 도망가고 폴스타프 역시 한두 번의
주먹질 후에 훔친 물건을 두고 도망간다.

75 **왕자** 아주 쉽게 끝냈군. 이제 즐겁게 말이 있는 곳으로 가자. 저 도둑
들은 모두 흩어져서 서로 감히 만날 수도 없을 만큼 강한 공포에
사로잡혀 있을 거야.

자기 동료를 순사로 착각할 거야! 떠나자, 선한 네드―폴스타프

80 는 죽을 만큼 땀이 나서 그가 걷는 대로 여윈 땅에 돼지기름을 바
르고 있을 테지. 내가 그를 동정하면 웃을 일이겠지.

포인즈 그 살찐 악당이 얼마나 고함을 치던지요.

모두 퇴장.

3장

월크월스. 성.

핫스퍼 혼자 편지를 읽으면서 등장.

핫스퍼 "하지만, 나로서는, 경, 그곳에 기꺼이 갈 수도 있습니다, 경의 가
문에 대해 가지고 있는 사랑의 대가로서." 기꺼이 올 수도 있다.
그런데 왜 오지 않는 거지? 우리 가문에 대한 사랑의 대가로서.
그는 이것에서 보여주고 있군. 그가 우리 집을 사랑하는 것보다
자신의 헛간을 더 많이 사랑한다는 것을. 좀 더 읽어보자. "경께   5
서 추진하시는 계획은 위험합니다."─물론, 그렇지. 감기에 걸리
고, 잠을 자고, 술을 마시는 것도 위험하지. 하지만 멍청한 양반,
당신에게 말하겠는데 난 이 쐐기풀과 같은 위험으로부터 안전이
라는 꽃을 꺾어낼 거야. "경께서 추진하시는 계획은 위험합니다,
경께서 거론하신 동조자들은 신뢰할 만하지 않고, 시간 그 자체
가 부적합하고, 강한 상대편과 비교할 때, 경의 계획 전체가 너무
도 유약합니다." 네가 그렇게 말했어, 그렇게 했단 말이지? 내가   10
다시 네게 말하겠다. 넌 얄팍한 겁쟁이에 불과한 거야. 그리고 거
짓말을 하고 있어. 이 얼마나 모자란 인간인가! 맹세코, 우리 계
획은 지금껏 세워왔던 것 중에서 가장 완벽해. 우리 동조자들은
진실하고 한결같지. 최고의 계획, 진정으로 의리 있는 동조자들.

이 얼마나 천치 같은 악당 놈인가! 요크의 대주교께서 그 계획과 행동지침에 대한 전반적인 과정을 명령하셨지. 쳇, 이 망할 놈을 그놈 마누라의 부채로 그 머릴 부술 수 있다면. 내 아버지, 내 숙부 그리고 내가 있지 않은가? 에드먼드 몰티머 경, 요크 대주교, 그리고 오언 글렌다워는 어떻고? 게다가 스코틀랜드 부족의 우두머리인 더글라스도 있지 않은가? 병력을 이끌고 다음달 9일까지 만나자는 그들 모두의 편지를 내가 갖고 있고, 그들 중의 일부는 이미 행동을 시작하지 않았는가? 이 얼마나 신심이 없는 무뢰한인가! 이교도 놈! 하! 명예로운 행동으로 그런 연약한 겁쟁이를 설득하기 위해서 난 나 자신을 둘로 나누어서 그 반쪽이 다른 반쪽과 맞붙어 싸우게 할 수 있다면! 그 놈의 목을 매달아야겠어. 그 놈이 왕에게 우리가 군사적 행동을 위한 문서를 작성하였다는 소식을 알리게 해야지. 난 오늘 밤에 출격할 것이다. (퍼시 부인 등장) 어쩐 일이요, 케이트? 난 두 시간 안에 떠나야 하오.

부인 나의 선하신 주인님, 왜 이렇게 혼자 계신가요? 무슨 역정이 2주 동안 저를 당신의 침실로부터 추방당한 여자로 만들고 있는 건가요? 말씀해보세요, 여보. 무엇이 당신으로부터 식욕, 즐거움, 그리고 황금 같은 잠을 빼앗아가 버렸나요? 왜 당신은 당신의 눈이 땅을 향하게 하고, 혼자 계실 때 왜 그렇게 자주 깜짝 놀라시는 건가요? 왜 당신은 당신의 볼에서 신선한 핏기를 잃어버리고 당신에 대한 나의 소중한 친밀감과 아내로서의 권리를 무거운 눈꺼풀의 묵상과 저주 받은 우울함에 부여하시는 건가요? 당신 옆에서 잠을 이루지 못하고 있다가 당신의 창백한 수면 속에서 당신이 철 전쟁 이야기를 중얼거리는 것을 들었어요. 당신은 군마들에게 명령을 하고, "용감하게, 돌격!"이라고 외치셨어요. 그리고 당신께서는 출격, 그리고 철수에 대하여, 참호·텐트에 대하여, 40 철 울타리·접경지대·흉벽에 대하여, 바시리식 대포에 대하여, 캐논·컬버린 포에 대하여, 죄수들의 몸값에 대하여, 그리고 전 사한 군인들에 대하여, 그리고 흥분된 전투의 모든 추세에 대하여 말씀하셨어요. 당신 안에 있는 당신의 혼이 그렇게 전투를 하고 있었던 것이고, 그래서 당신의 잠 속에서 당신을 그렇게 흔들 45 어서 땀방울들이 당신의 이마 위에 뒤늦게 난폭해진 개울의 물방울처럼 매달리게 하고, 당신의 얼굴에는 사람들이 어떤 갑작스러운 명령에 호흡을 참을 때 나타나는 것과 같은 이상한 움직임이 있었답니다. 아, 이것들이 무슨 징조인가요? 어떤 무거운 일이 나 50 의 주인님을 거머쥐고 있는 게 틀림없어요. 그래서 난 그것이 무엇인지 알아야 해요. 아니면 나를 사랑하지 않는 것일 테니까요.

핫스퍼 여봐라! (하인 등장) 길리암즈가 급보를 가지고 떠났느냐?

하인 한 시간 전에 떠났습니다, 나리. 55

핫스퍼 버틀러가 그 행정관에게서 말들을 가지고 왔느냐?

하인 지금 막 한 마리 가지고 왔습니다, 나리.

핫스퍼 어떤 말이더냐? 회색에 귀가 베인 말 아니더냐?

하인 그렇습니다, 나리.

핫스퍼 그 회색 말이 나의 왕좌가 될 것이다. 내 그 말에 당장 오를 것이 60 다. 아 희망이여! 버틀러에게 그 놈을 밖으로 데리고 나오라고 하여라. (하인 퇴장)

부인 하지만 제 말을 들어보세요.

핫스퍼 부인 무엇이라고 하였소?

65 **부인** 무엇 때문에 떠나려 하시나요?

핫스퍼 아, 나의 말, 나의 말이요.

부인 그만하세요, 실성한 양반! 한 마리 족제비도 당신이 이렇게 화가
나서 날뛰게 하는 그런 원한은 갖고 있지 않을 거예요. 맹세코 난
70 당신이 하시려는 것이 무엇인지 알아내겠어요. 해리, 꼭 그렇게
할 것입니다. 난 나의 동생 모티머가 그의 왕권에 대한 권리문제
로 선동되어서, 그의 계획에 힘을 주기 위해 당신을 부른 것이 아
닐까 두려워하고 있습니다. 그러나 만약 당신이 가면 —

핫스퍼 지나치면 더 이상 참지 못하게 될 겁니다, 부인.

75 **부인** 자, 그러지 말고 제가 질문한 것에 바른대로 대답을 해주세요. 만
약 모든 진실을 말해주지 않으면 맹세코 당신의 작은 손가락을
비틀어버릴 거예요, 해리.

핫스퍼 물러가시오, 썩 물러가시오. 경솔한 시간의 낭비자! 사랑! 난 당
80 신을 사랑하지 않소. 케이트 난 당신을 상관하지 않아. 이건 인형
을 가지고 놀고 입술로 창 시합을 하는 그런 세계가 아니오. 우리
는 코피를 흘리고, 서로의 머리를 부수고 그러한 것이 당연하게
통하는 세계에 있소. 내 말! 케이트, 당신 무엇이라고 했소? 내게
85 원하는 것이 무엇이오?

부인 당신 절 사랑하지 않나요? 정말 그런가요? 그럼 하지 마세요. 왜
냐하면 당신이 절 사랑하지 않기 때문에 저도 저 자신을 사랑하
지 않을 거니까요. 날 사랑하지 않으신가요? 아니죠, 만약 농담으

로 그러신 거면 말씀해주세요.

핫스퍼 이봐요, 내가 말에 오르는 것이 보이지 않소? 그래요 내가 말에 ₉₀ 오를 때 난 당신을 영원히 사랑한다고 맹세할 것이오. 그러나 들어 보시오, 케이트. 지금부터 난 당신이 내가 어디를 가는지를 묻도록 허락하지 않을 것이오. 결론을 말하면, 상냥한 케이트. 난 오늘 저녁 당신을 떠나야 하오. 난 당신이 현명하다는 것을 알고 ₉₅ 있소. 그러나 해리 퍼시의 아내보다 더 현명하지는 않군. 당신은 한결같아, 하지만 단지 여자일 뿐이군. 그리고 비밀을 지키는 일이라면 어떤 여인도 당신에게 견줄 수 없을 거요. 왜냐하면 당신 ₁₀₀ 이 모르는 것을 말할 수는 없을 테니까. 그래서 상냥한 케이트, 그만큼은 당신을 신뢰할 거요.

부인 얼마큼이요? 얼마나 더?

핫스퍼 단 한치도 더는 아니지? 그러나 케이트 내가 가는 곳으로 당신도 오게 될 거요. 난 오늘 출발할 것이오, 당신은 내일이요. 만족하 ₁₀₅ 시오, 케이트?

부인 그래야만 하겠지요.

모두 퇴장.

4장

이스트 칩. 보어즈 헤드 주막.

왕자와 포인즈 등장.

왕자 네드, 그 케케묵은 방에서 나와 잠시 웃을 수 있도록 좀 도와주게.

포인즈 어디 갔다 오셨습니까, 할?

왕자 60 또는 80개의 술통 가운데 세 네 명의 얼간이들과 함께 난 천함의 가장 낮은 음조를 연주했지. 이봐, 난 술집 종업원 세 명과 의형제를 맺었어. 그래서 그들 모두를 톰, 딕, 그리고 프랜시스 같이 그들의 세례명으로 부를 수 있어. 그들은 비록 내가 단지 웨일즈 왕자이지만 예의가 있는 왕이라느니, 내가 폴스타프 같은 오만한 녀석이 아니고 코린드 사람과 같이 좋은 동료, 가치 있는 청년, 선한 자(주님께 맹세코, 그들이 나를 그렇게 불렀지!)여서 내가 영국의 왕이 되었을 때 이스트 칩에 있는 모든 좋은 청년들을 얻게 될 거라고 나에게 분명하게 말했어. 그들은 과음을 "자줏빛으로 염색하기"라고 하고, 술을 마시는 중간에 쉬게 되면, "헴"하면서 헛기침을 하고 "끝까지 마셔"라고 명령을 하지. 결론적으로 말하면, 난 한 시간의 사분의 일만에 너무도 능숙한 숙련가가 되어서 내 평생 동안 어떤 술꾼하고도 그만의 은어로 술을

마실 수 있게 된 거야. 네드, 내가 자네에게 말을 하겠는데 자네
는 이 교전에서 함께 하지 않아서 많은 영광을 놓쳐버렸어. 그
러나 달콤한 네드─네드란 이름의 어느 부분을 달콤하게 하기
위해서 자네에게 선술집 말단 급사가 나에게 준 이 동전푼어치 20
설탕을 주지. 그 녀석은 평생 동안 "8실링 6펜스" 그리고 "천만
에요"라고 말하고는, 이내 쇳소리로 "아 네 곧 갑니다, 가요, 나
리! 반달실에 술 1파이트 추가요"라고 외치는 것 외에 다른 말은
써본 적이 없는 놈이야. 네드, 폴스타프가 올 때까지 시간을 죽이
기 위해서 내가 그 초보 급사에게 내게 설탕을 준 목적이 무엇인
지 알아보는 동안 자넨 옆방에 있게. 그리고 "프랜시스!"라고 부
르는 것을 결코 멈추지 말게. 그러면 그 녀석의 대답은 단지 "네
곧 갑니다"라는 것이 될 걸야. 저쪽으로 가 있게. 그러면 내가 자
네에게 보여주겠네.

포인즈 뒤로 물러나 있는다.

포인즈 (안에서) 프랜시스!
왕자 완벽해.
포인즈 (안에서) 프랜시스! 25

술집급사[프랜시스] 등장.

프랜시스 네, 곧이요, 곧 갑니다, 나리. 랄프, 폼가네트 실을 좀 가보세요.
왕자 프랜시스, 이리 와 보거라.

프랜시스 네 나리?

왕자 프랜시스 여기서 일한지가 얼마나 되었지?

30 **프랜시스** 정말이지, 그게 5년, 그 정도 되었어요-

포인즈 (안에서) 프랜시스!

프랜시스 네, 네 곧 갑니다, 나리.

왕자 5년이라고! 성모마리아여, 백랍 술잔 부딪치는 소리를 위해서는
너무도 긴 세월이구나. 그런데 프랜시스, 너는 그 계약서를 무시
35 하고 도망칠 만큼 용감할 수 있느냐?

프랜시스 오, 나리, 전 이 나라에 있는 모든 성경책에 대고 맹세하는데
요, 그럴수도-

포인즈 (안에서) 프랜시스!

프랜시스 네 곧 갑니다 나리.

40 **왕자** 프랜시스, 네가 몇 살이지?

프랜시스 그게, 다음 미카엘 축제일(9월 29일)이면 제가-

포인즈 (안에서) 프랜시스!

프랜시스 네, 곧 갑니다 나리-조금만 기다려주십시오, 나리.

왕자 아니다. 그러나 프랜시스 들어라. 네가 나에게 준 그 설탕 말인
45 데, 그게 1페니 정도 값이 나가지, 그렇지?

프랜시스 아 나리, 그거 2페니는 족히 됩니다!

왕자 그 값으로 너에게 천 파운드를 주겠다-나에게 언제든 말하여라
그러면 줄 것이다.

포인즈 (안에서) 프랜시스!

50 **프랜시스** 네 곧이요, 곧.

왕자 곧이라고, 프랜시스? 안 돼, 프랜시스. 내일 주겠다. 프랜시스 아니면, 목요일에 아니면, 정말로 프랜시스 네가 원할 때 주겠다. 하지만 프랜시스!

프랜시스 네 나리?

왕자 너는 꼭 맞는 가죽 저킨 조끼, 반짝이는 수정 단추를 단 옷을 입고, 짧은 머리를 하고, 조각이 들어간 마노 반지를 끼고, 어두운 색 울 스토킹과, 울 테이프로 만든 가터를 입고, 스페인 가죽 지갑을 한 자를 강탈하고 있는 것 아니냐? 55

프랜시스 나리, 누구를 말씀하십니까?

왕자 그러면 값비싼 스페인 포도주가 네가 마시는 술이 되겠구나. 그런데 프랜시스, 봐라 너의 하얀 작업복이 검게 더러워지게 될 거야. 바바리에서는 설탕이 그렇게 비싸지 않아. 60

프랜시스 무슨 말씀인가요, 나리?

포인즈 (안에서) 프랜시스!

왕자 가거라. 이놈아, 너 저들이 부르는 게 들리지 않느냐?

여기에서 모두가 프랜시스를 부른다.
술집 급사들은 어디로 갈지 모르는 채로 놀라서 서 있다.
주막 주인 등장.

주막주인 뭐야, 넌 아직도 서서 부르는 소리를 듣고 있는 거냐? 안에 계시는 손님들께 가보거라. (프랜시스 퇴장) 나리, 늙은 존 경이 여섯 65
명과 함께 문 앞에 와있습니다―그들을 들여보낼까요?

왕자 잠시 그대로 둔 다음 문을 열어주어라. (주막주인 상인 퇴장) 포인즈!

(포인즈 다시 등장)

포인즈 네, 네 곧 갑니다, 나리.

왕자 폴스타프와 나머지 도적떼들이 문 앞에 와있다. 장난을 한번 쳐
볼까?

포인즈 귀뚜라미가 뛰어놀 듯이요. 그런데 이 술집종업원과 무슨 장난을
하신 겁니까? 무얼 하신 건데요?

왕자 나는 이제 태초에서부터 지금에 이르기까지 존재해온 모든 기분
을 맛보려고 해. (프란시스 다시 등장) 몇 시인가, 프랜시스?

프란시스 네, 네 곧입니다, 나리. (퇴장)

왕자 지금껏 이 녀석은 한 여자의 아들이면서 앵무새보다 더 적게 말
을 해왔어! 그의 할 일이란 위층에 갔다가 아래층으로 왔다 갔다
하는 것이 고작이고 그의 웅변은 계산서에 있는 목록으로 되어있
구나. 그럼에도 불구하고 난 아직 퍼시, 그 북쪽 핫스퍼의 기분을
느낄 수 없어. 아침식사로 스코틀랜드 인 예닐곱 다스를 죽인 그
는 그의 손을 씻고 그의 아내에게 "아 이런 조용한 삶이란, 난 진
짜 싸움을 원해"라고 말했어. 그의 아내는 "아 나의 친절한 해리,
오늘은 몇 명을 죽였나요?"라고 물어. 그러면 "나의 밤색 말에게
마실 것을 주거라"하고 하인에게 말한 뒤, 한 시간 후에 "약 열
다섯 명"이라고 하고 "보잘 것 없어, 하찮은 수이지"라고 대답을
한다는 거야. 폴스타프를 불러 오거라, 내가 퍼시 역할을 할 것이
고 그 망할 놈의 살찐 수퇘지 놈이 퍼시의 아내인 모티머 부인 역
할을 할 것이다. 리보(마시자)! 술주정꾼이 말한다. 갈비덩어리를
오라고 해. 동물성지방을 불러 오너라.

폴스타프 [개즈힐, 바돌프, 피토 그리고 술을 가지고 오는 프랜시스와 함께] 등장.

포인즈 어서 오시오, 잭, 어디 갔다 오는 거요?

폴스타프 모든 겁쟁이들에게 역병이 내리고, 복수가 있기를, 아멘! 얘야
내게 술 한 잔 다오. 이런 삶을 지속하느니 차라리 양말을 꿰매고
양말바닥을 고치는 게 낫겠다. 모든 겁쟁이에게 역병이 내리기를! 90
술을 달라구. 진정 살아있는 용기란 없단 말인가?

술을 마신다.

왕자 포인즈, 자넨 타이탄[2]이 태양의 달콤한 이야기로 녹아버린 버터
접시에 키스하는 것을 본 적이 없나? 만약 그렇다면, 저 뚱뚱보가
술을 마시는 것을 보게.

폴스타프 (프랜시스에게) 이 악당 놈, 술에 석회를 넣었구나. 악당 같은 자
에게 있는 거라곤 못된 짓밖에 없어. 하지만 겁쟁이는 석회가 든 95
술잔보다 더 나쁘지(프랜시스 퇴장). 악당 같은 겁쟁이! 하지만 늙은
잭, 너는 너의 길을 가라. 언제 죽더라도 네가 원할 때 죽어라—
대장부의 용기와 같은 건 이 땅에서 잊혔으니 알을 낳은 여윈 청
어와 같다. 이 영국에는 목이 매달리지 않을 좋은 사람은 세 명도
되지 않아. 그 중에 하나는 뚱뚱하고, 늙어가고 있어, 빌어먹을 100
세상이야. 주여 이 세상을 도와주소서. 차라리 베 짜는 사람이 되
고 싶군. 베를 짜며 찬송가 같은 거나 부르며 사는 게 나을 텐데.
내가 다시 말하는데, 모든 겁쟁이에게 천벌이 내리기를.

---

2. 고대 로마신화에서 태양의 신

왕자　어쩐 일이야, 양털자루, 뭘 불평하는 거야?

폴스타프　왕의 아들! 만약 내가 나무로 된 단도를 가지고 너와 야생 오리 떼처럼 너 앞에 있는 너의 신하들을 이 왕국에서 몰아내지 않는 다면 내가 결코 내 얼굴에 수염이 더 이상 나지 않게 할 것이다. 너 웨일즈 왕자!

왕자　왜 그래, 천한 뚱뚱보 양반, 왜 그러는데?

폴스타프　너 겁쟁이 아니야? 대답해봐—그리고 포인즈 거기에 있나?

포인즈　에잇, 너 살찐 밥통주머니, 너 나를 겁쟁이라고 했지. 맹세코 내 너를 칼로 찌를 것이다.

폴스타프　내가 널 겁쟁이라고 했다고? 내가 널 겁쟁이라고 부르기 전에 네가 저주 받는 것을 보게 될 것이다. 포인즈, 네가 나만큼 빨리 달릴 수 있으면 천 파운드를 주겠다. (왕자에게) 자넨 등이 곧아서 등을 보이는 것을 상관하지 않는구나. 너는 그것을 네 친구들의 호위라 부르는 것이냐? 그런 호위는 집어치워버리고 정면으로 맞서야 할 거 아니냐! 술 한 잔 다오. 오늘 마시지 않으면 난 악당이다.

왕자　여봐! 방금 마신 술도 아직 마르지 않았어.

폴스타프　그래서 뭐, 상관없어. (술을 마신다.) 모든 겁쟁이에게 저주가 내리기를.

왕자　뭣 때문에 그러는데?

폴스타프　뭣 때문에 그러냐고? 여기 우리 넷이 오늘 아침 천 파운드를 강탈당했네.

왕자　어디에서, 잭 어디에서인가?

폴스타프 어디냐고? 우리에게서 빼앗아 간 곳이지. 우리 네 명에게 백 명이 덤벼들었어.

왕자 뭐 백 명이라고?

폴스타프 내가 수십 명과 함께 두 시간을 단도로 싸우지 않았다면 난 악 한일세. 난 기적적으로 겨우 피했지. 조끼를 통해서 여덟 번의 찔 125 림이 있었고, 네 번은 짧은바지를 통해서, 내 방패는 찔리고 또 찔리고 그랬지. 나의 칼은 톱니처럼 마구 칼자국이 났어ㅡ그 징 표를 보게! 내가 사나이인 이래로 이보다 더 잘 싸운 적이 없어. 비록 이 모든 것으로 충분하진 않지만. 겁쟁이들에게 역병이 내 리길! 만약 그들이 진실보다 더 많이 혹은 더 적게 말하면, 그들 은 불한당이고 어둠의 자식들이다.

왕자 말해보게, 친구들, 어떻게 된 건가? 130

개즈힐 우리 넷은 수십 명을 내리 덮치고ㅡ

폴스타프 적어도 열여섯 명이었어.

개즈힐 그런 다음 그들을 포박했습니다.

피토 아니, 아니야, 그들은 포박당하지 않았어.

폴스타프 너 멍청이, 그들은 포박 당했어. 그들 모두가 아니면 난 유태인 135 이다. 유태인 중에 상 유태인이지.

개즈힐 우리가 몫을 나누고 있을 때, 어떤 여섯, 일곱 명의 낯선 자들이 우리를 덮쳤습니다ㅡ

왕자 뭐 너희들이 그들 모두와 싸웠다고?

폴스타프 모두? 난 네가 무엇을 모두라고 부르는지 모르겠지만 내가 그 140 들 50명과 싸우지 않았다면 난 말라빠진 무 한 덩어리가 될 걸세.

가엾은 늙은 잭에게 덮친 52. 3명이 없었다면 그러면 난 두 다리로 걷는 인간이 아니지.

왕자 자네가 그들 모두를 죽이지 않은 것에 기도드려야겠군.

폴스타프 아니야 그것은 기도드려야 할 과거가 될 거야. 난 그들 중에 둘을 계속해서 찔러댔어. 둘이었어. 확신하건대 버크럼[3] 옷을 입은 두 놈을 죽였어. 들어봐 할, 만약 내가 거짓말을 하는 것이라면 내 얼굴에 침을 뱉고 날 멍청한 당나귀라고 욕하게. 자네는 내 오래된 방어 자세를 알지—이게 내가 취한 방어 자세야. 그리고 이렇게 내 칼을 겨루지. 버크럼을 입은 네 놈이 나에게 덤벼들었어—

왕자 뭐 넷이라고? 자네 방금 둘이라고 했잖아.

폴스타프 넷이야 할, 내가 너에게 넷이라고 했어.

포인즈 예, 예, 넷이라고 했어요.

폴스타프 이 네 놈이 나란히 와서 나만을 공격했어. 난 더 이상 기다리지 않고 그들의 일곱 개의 칼끝을 내 방패로 받았지, 이렇게!

왕자 일곱이라고? 뭐야, 방금 넷이었잖아.

폴스타프 버크럼을 입은 놈들 말이야?

포인즈 네, 버크럼을 입은 네 명이요.

폴스타프 이 칼자루에 대고 맹세하는데 일곱 명이네. 그렇지 않으면 내가 악당일세.

왕자 내버려두게, 곧 더 많아질 테니.

폴스타프 내 말 들었나, 할?

---

3. 아교풀로 뻣뻣하게 한 면이나 마로 된 천

왕자 아이, 자네도 좀 듣게나, 잭.

폴스타프 그렇게 하지. 듣는 것은 가치가 있으니까 말이야. 내가 이야기 160
한 그 버크럼을 입은 아홉 명이—

왕자 그래서 벌써 두 명 더

폴스타프 그들의 레이스가 끊어지고—

포인즈 그들의 스토킹이 다 내려갔지요.

폴스타프 뒷걸음치며 도망가기 시작했지. 그러나 내가 더 가까이 다가가 165
서, 근거리에서, 생각처럼 재빠르게 그 열한 명을 죽였지.

왕자 와 엄청나군! 열한 명의 버크럼을 입은 자들이 두 명에서 나오다니!

폴스타프 하지만 악마가 그러듯이, 녹색 켄달 천을 입은 세 명의 나쁜
놈들이 내 뒤로 습격을 해서 나를 덮쳤지. 할, 너무 어두워서 네
손을 네가 볼 수 없을 정도였어. 170

왕자 이런 거짓말들은 그걸 만들어낸 그들의 아버지와 같군. 산처럼
거대하고, 대범하고, 명백해. 어유, 자네는 무지한 뻔뻔이, 멍청한
바보, 천하고 지긋지긋하게 기름기 많은 지방 덩어리야—

폴스타프 뭐야, 자네 미쳤나? 미쳤어? 사실은 사실 아닌가?

왕자 아니, 너무 어두워서 자네 손도 볼 수 없었다면서 어떻게 녹색 켄 175
달 천을 입은 사람들을 알아볼 수 있었지? 자, 우리에게 변론을
해보게. 어떻게 말할 건가?

포인즈 자 잭, 변명을 해보게.

폴스타프 뭐 이렇게 강압적으로? 쳇, 내가 스트라파도[4] 고문을 당하거나
세상에서 더한 고문을 당한다 하더라도 이렇게 강압을 받아서

---

4. 매달았다가 갑자기 떨어뜨리는 형벌

대답하지 않겠어. 강압을 받으면서 나보고 변론을 하라고? 만약

이유가 검은 딸기만큼 엄청나게 많다하더라도 난 이렇게 강제로

누구에게도 변론하지 않겠네, 나는.

왕자 내 더 이상 이 억지 모함을 참지 않을 테다. 이 다혈질의 겁쟁이,

이 침대 압박기, 말의 등을 부러뜨리는 놈, 이 거대한 살 더미, ―

폴스타프 빌어먹을, 너 굶주린 놈, 뱀장어 껍질, 말라빠진 황소의 혀, 황

소의 성기, 마른 대구―오, 너와 같은 것을 더 말할 수 있는 호흡

을 주시기를―너 재봉사의 잣대, 칼집, 활 상자, 야비하게 거꾸로

서 있는 칼!

왕자 잠시 숨을 쉬지 그런 다음 다시 하게, 그리고 그 저속한 비유 게

임에 지칠 때 그것 말고 다른 것을 이야기해주게나.

포인즈 잭, 명심하게.

왕자 우리 둘이서 너희 넷이 네 명을 덮치고, 그들을 묶고 재산을 가로

채는 것을 보았어―이제 잘 듣게. 그런 다음 우리 둘이는 자네

넷을 덮쳤어 그리고 한 마디로―자네들을 협박해서 자네들의 포

획물을 가로챘지, 그래 우리가 가졌어. 여기 이 술집에 보관해놓

은 것을 보여줄 수 있어. 폴스타프, 자네는 자네의 창자를 민활하

게, 재빠른 기민함으로 도피시켰지 그리고 황소 새끼처럼 살려달

라고 소리소리 지르고 그리고 달리고 고함쳤어. 자네가 말한 것

처럼 칼자국을 내고서 그것이 싸움에서 생겨난 것이라고 말하는

자네는 얼마나 저속한 생각을 가진 악당인가! 자네를 이 확실하

고 명백한 수치로부터 숨기기 위해서 자네는 어떤 속임수, 어떤

방책, 어떤 은둔처를 찾을 수 있겠나?

포인즈 자 들어보자고, 잭, 자네 무슨 책략을 가지고 있나?

폴스타프 주님께 맹세코, 난 너를 만든 주님만큼 너를 잘 알고 있다. 내 200
동료들 이야기를 들어보게나. 내가 이 명백한 왕위 계승자를 죽
여야 할까? 내가 이 정직한 왕자에게 복종해야 하나? 이봐, 자네
들 내가 헤라클레스만큼 용맹하다는 것을 알잖나. 하지만 본능을
잘 알아야지―사자는 정직한 왕자는 건들지 않을 것이다. 본능은
위대해. 난 지금 본능에 따라 겁쟁이가 되었다. 내 평생 동안 나
자신 그리고 너의 더 나은 면을 생각할 것이다―왜냐하면 난 용
감한 사자이고 너는 정직한 왕자이니까. 하지만 맹세코, 청년들, 205
난 자네들이 그 돈을 가지고 있어서 기쁘네. 주모, 문을 닫게! 오
늘 밤 깨어있으라, 내일 기도하라!―한량들, 청년들, 소년들, 좋
은 동반자들, 좋은 동료의 모든 직함을 가진 자들이 네게 오리라!
무엇을 하면 재미가 있을까? 즉흥연극을 해볼까?

왕자 좋지, 그리고 주제는 자네의 줄행랑으로 하지.

폴스타프 아, 그건 날 사랑한다면, 더 이상 말하지 말게, 할. (주모 등장) 210

주모 어머 세상에, 왕자 나리!

왕자 어쩐 일이오, 주모, 나에게 할 말이 있소?

주모 나리, 궁궐에서 오신 한 귀족분이 나리를 뵈러 밖에 와 계십니다. 215
나리의 아버님께서 보내신 전갈을 가지고 왔다고 하는데요.

왕자 귀족신분이 왕족이 될 만큼 집어주어서 나의 어머니에게로 다시
돌려보내게.

폴스타프 품새가 어떻던가?

주모 나이가 지긋하신 분이었어요.

폴스타프 나이 먹은 체면에 야밤에 잠자리 밖에서 무엇을 하시는 건가? 내가 만나볼까?

220 **왕자** 그렇게 하게, 잭.

폴스타프 반드시 내쫓아버리고 오겠네. (퇴장)

왕자 자, 이보게들, 잘 싸웠네. 피토 자네도 잘 했고, 바돌프, 자네도 잘 싸웠어. 자네들 역시 사자인거야. 본능으로 도망치고, 정직한 왕자는 건들지 않을 테지, 그렇지 않나!

225 **바돌프** 맹세코, 전 다른 이들이 도망치는 것을 보고 도망쳤습니다.

왕자 이제 내게 정직하게 말해보게. 어떻게 폴스타프의 칼에 그렇게 많은 칼자국이 났지?

피토 저, 자기 단도를 가지고 칼자국을 냈어요. 그리고는 정직이 이 나라로부터 도주했다는 신념으로 그게 싸움에서 생겨났다고 왕자님이 믿도록 하겠다고 하고 우리에게도 그걸 하라고 부추겼어요.

230 **바돌프** 그래요, 그리고 우리의 코를 억센 풀로 상처를 내서 피가 나게 하고 그런 다음 우리 옷에 문질렀어요. 그리고 그것이 용맹한 자의 피라고 했죠. 전 이 7년 동안 한 번도 해보지 않는 짓을 했어요. 그의 괴물 같은 책략을 들을 때 창피해서 얼굴이 붉어졌어요.

왕자 오, 악당 놈, 너 18년 전에 술 한 잔을 훔쳐 마셨지 그래서 그 증거로 현행범으로 체포되었어. 그리고 그때 이래로 쭉 갑자기 얼굴이 붉어지지. 너는 얼굴에는 불을 가지고 옆구리에는 칼을 차고 있으면서도 도망을 쳤어―이건 어떤 본능인거지?

235 **바돌프** 나리, 이 유성들이 보이십니까? 이 불타는 유성들을 보십니까?

왕자 그래.

바돌프 이것들이 무슨 징조라고 생각하십니까?

왕자 뜨거운 간과 차가운 지갑이지

바돌프 나리 제대로 말하면 성마른 성격입니다. ²⁴⁰

왕자 아니지, 제대로 말하면, 올가미이지. (폴스타프 다시 등장) 여기 여윈
잭이 오는군, 말라빠진 이가 오는군. 어쩐 일이지, 나의 친절한
허풍장이, 잭, 자네의 무릎을 본지가 언제인가?

폴스타프 내 무릎이라고? 할, 내가 네 나이만 할 때, 난 허리가 독수리 ²⁴⁵
발톱 넓이만큼도 되지 않았어. 주 장관의 엄지 반지 안으로 기어
들어 갈 수도 있었을 거야. 그 저주 받을 한숨과 슬픔이 사람을
부레처럼 부풀게 만들어 버렸어. 밖에서 온 고약한 소식이 있네.
자네 아버지가 보낸 존 브레이시 경이 여기에 와 있는데, 자네 아
침에 궁전으로 가야만 하네. 북방의 미친 녀석, 퍼시 그리고 아마
몬 악마를 몽둥이로 때리고 악마 루시퍼 아내를 빼앗고 그 악마
를 웨일즈 갈고리의 십자가에 대고 그의 진실한 신하로 맹세시킨 ²⁵⁰
그 웨일즈 놈―도대체 그를 뭐라고 부르지?

왕자 아, 글렌다워.

폴스타프 오언, 오언, 같은 놈이지. 그의 사위 몰티머, 그리고 나이든 노
섬벌랜드, 그리고 활기찬 스코틀랜드 인들 중에 스코틀랜드 인인
더글라스, 말을 타고 몹시 가파른 언덕을 오르는 놈이지.

왕자 그 자는 아주 빠른 속도로 달리면서 총으로 나는 새도 떨어뜨리지. ²⁵⁵

폴스타프 정확하게 알고 있군.

왕자 하지만 그는 그 새를 결코 쏘아 맞히지는 못했어.

폴스타프 하지만 그 악당 놈, 좋은 기질을 가지고 있는 건 분명해. 절대

그는 도망치지 않을 거야.

왕자 뭐야, 달리는 것 때문에 그를 칭찬해놓고서!

260 **폴스타프** 멍청이, 그건 말을 탔을 때이고, 도보로 싸울 때는 한 발자국도
양보하지 않을 거야.

왕자 그렇겠지, 잭, 본능에 의해서 말이야.

폴스타프 그래, 본능이야. 그런데 그쪽 편에 더글라스도 있고 모다크라
는 놈과 파란색 모자를 쓴 스코틀랜드 병사가 천 명 이상이나 있
어. 우스터는 오늘 밤 몰래 빠져 나갔고. 너의 아버지의 턱수염은
265 이 소식으로 하얗게 새버렸지. 넌 아마 냄새나는 고등어만큼 값
싸게 땅을 사야 할지도 몰라.

왕자 아 그러면, 성난 유월이 오는 것 같겠군. 투쟁은 계속되고, 우리는
군화에 사용할 못을 사는 것처럼 값싸게 처녀들을 사게 되겠지.

폴스타프 그렇지, 우리는 그런 식으로 거래를 하게 될 거야. 하지만 할,
270 말해보게, 자네 두렵지 않나? 자네가 분명한 후계자이기 때문에,
세상사람들이, 저 잔혹한 더글라스, 마귀 같은 퍼시 그리고 악마
같은 글렌다워 같은 적들과 싸우라고 자네를 내세울 게 아닌가?
두렵지 않나? 자네 살이 덜덜 떨리지 않나?

왕자 절대로 그렇지 않아. 나는 자네 같은 본능이 없으니까 말이야.

275 **폴스타프** 그런데, 내일 자네 아버지한테 가면 혼쭐 꽤나 날 거야. 그러니
답변을 연습해두게.

왕자 자네 내 아버지 역할을 하게 그리고 내가 어떻게 사는지 세세하
게 물어보게.

폴스타프 내가? 좋지! 이 의자가 내 왕좌이고 이 단검이 내 홀이고 이 방

석이 내 왕관일세.

왕자 자네 왕좌는 이어 붙인 걸상으로 보이고, 자네 황금 홀은 납으로 280
된 단도이고, 자네의 귀중하고 값비싼 왕관은 가엾은 대머리 왕
관으로 보이는데.

폴스타프 자, 그럼... 은총의 화염이 남아있다면, 이제 너는 명심해야 한
다. 술 한 잔 주게. 눈을 빨갛게 보이게 해야겠어. 아마 내가 울었
다고 생각할지도 모르겠네. 깊은 감정으로 말해야 하니까 말야.
난 캠비시 왕[5]처럼 호령할 거야.

왕자 저, 여기에서 무릎을 꿇겠네. 285

폴스타프 그리고 여기 내 홀이 있어. 귀족양반들 좀 옆으로 비켜주시오.

주모 이런 이거 아주 재미있는 연극이 되겠는걸요.

폴스타프 울지 마시오, 사랑스런 왕비, 똑똑 떨어지는 눈물은 헛된 것이
니까.

주모 어머 세상에, 저 근엄한 얼굴 표정을 봐요!

폴스타프 제발, 중신들, 비탄에 잠긴 왕비를 데려가시오. 눈물이 그녀 눈 290
의 배출구를 막고 있소.

주모 이런, 저 양반은 지금까지 내가 본 중에서 가장 능청맞게 연기하
고 있네.

폴스타프 조용히 해, 술 단지 마나님, 조용히 하라고, 독한 탁주 마님 —
해리, 난 네가 어디서 시간을 보내고 어떤 자들과 어울려 다니는
지에 대해서 놀라지 않을 수 없구나. 비록 카모마일은 더 많이 밟 295

---

5. 토마스 프레스톤의 『페르시아의 왕 캠비시의 삶』(*Life of Cambyses, King of Persia*,
1569)이란 작품 속의 인물.

히면 밟힐수록 더 빨리 자란다고 하나 젊음은 많이 낭비될수록 더 빨리 소진되기 때문이다. 넌 나의 아들이다. 부분적으로 네 엄마의 주장 때문이고, 또 부분적으로는 내 판단에 의해서 그렇지만 특히 너의 눈의 그 악당 같은 속임수 그리고 네 아랫입술이 바보처럼 처져 있는 것이 나에게 확신을 준다. 그러면 네가 나의 아들이면, 잘 들어 보거라―나의 아들이 된다는 것이 그렇게 네게 조롱거리가 되느냐? 하늘의 축복 받은 태양이 좀도둑이 되어, 검은 딸기를 먹어야 하겠느냐? 그것을 문책하고자 하는 것이 아니다. 영국의 아들이 도둑이 되어서 남의 지갑을 털 수 있겠느냐? 이것은 묵인할 수 없는 것이다. 해리, 네가 자주 들었을 것인데, 이 땅의 많은 사람들에게는 송진이란 이름으로 알려져 있는 물건이 있다. 이 송진은 (고대 작가들이 보고 한 것에 의하면) 손을 더럽힌다. 네가 같이 다니는 무리들도 그렇다. 해리, 난 너에게 술기운에 말하고 있는 게 아니라 눈물로 호소하고 있고, 즐거움으로 말하고 있는 것이 아니라 비탄에 잠겨서, 말로만이 아니라 고통과 함께 호소하고 있다. 그러나 너의 무리 중에서 내가 자주 눈여겨본 진실한 한 사람이 있는데, 그의 이름은 모르겠구나.

왕자 폐하 그 자가 어떻게 생겼습니까?

폴스타프 보기 좋게 당당한 풍채를 가진 자였지, 맹세코, 건장한 자였어. 아주 활기찬 표정, 유쾌한 눈, 그리고 매우 고상한 몸가짐을 가졌어. 내 생각으로는 한 쉰쯤 되었을까 아니 예순이 가까이 되는 것 같았는데. 아, 이제 생각나는구나. 그의 이름은 폴스타프이다. 만약 그자가 추잡하게 보였다면, 그는 나를 속인 거다. 왜냐하면,

해리, 난 그의 표정에서 미덕을 보았기 때문이다. 나무에 의해서 열매를 알 수 있는 것처럼, 만약 나무를 열매에 의해서 알게 된다면, 내가 단호하게 말하겠다. 그 폴스타프에게는 미덕이 있어. 그와 함께하고, 나머지는 다 버리도록 하여라. 그리고 지금 나에게 말하거라. 너 말썽꾸러기 망나니, 이번 달 내내 어디에 있었느냐? 315

왕자 자네 왕처럼 말하는군? 자네가 나를 연기하게 그러면 내가 나의 아버지 역할을 할 테니까.

폴스타프 날 폐위시키려고? 만약 자네가 말과 주제에서 반쯤 그렇게 엄숙하게, 그렇게 장엄하게 할 수 있으면, 나를 토끼 새끼 또는 가금상 토끼처럼 거꾸로 매달아 놓게.

왕자 자, 여기 내가 앉았네. 320

폴스타프 그리고 난 여기에 서 있고. 여러분 판단해보시오.

왕자 자, 해리, 어디에서 오는 거냐?

폴스타프 고결하신 전하, 이스트 칩에서입니다.

왕자 너에 대해서 들은 불만들이 통탄할 지경에 이르렀구나.

폴스타프 아, 전하, 그것들은 모두 거짓입니다. 아니지, 내가 자네 역할 325 로 웃겨주겠네, 반드시.

왕자 욕을 하고 있는 것이냐? 무고한 놈이로구나. 품위라곤 조금도 없어. 늙고 뚱뚱한 자의 모습을 하고 너를 따라다니는 악마가 있어. 그 술고래가 네가 같이 다니는 자이지. 너는 왜 그런 질병 덩어리, 수성으로 가득한 밀가루체통, 수종 걸린 부푼 꾸러미, 거대한 가 330 죽 술 부대, 창자가 꽉 찬 가방, 매밍트리 도시에서 유명한 속을 채운 소고기, 도덕극에 나오는 머리가 새하얀 악당, 늙은 불한당,

나이든 허영 덩어리와 교제하는 것이냐? 어디에서 그 자가 쓸모
가 있느냐, 술맛을 보고 마시는 것 외에는? 어디에서 산뜻하고 날
렵하느냐, 수탉을 저며서 먹는 것 외에? 어디에서 능숙하냐, 술책
을 꾀하는 것을 제외하고? 어디에서 교활하냐, 악행을 행하는 곳
을 제외하고? 이 모든 것을 제외하면 어디에서 악당 같을 수 있겠
335 느냐? 어디에서 가치 있을 수 있겠느냐, 아무데도 없지 않느냐?

폴스타프 은혜로우신 폐하의 의도를 알고 싶습니다. 전하 누구를 말씀하
시는 것입니까?

왕자 저 젊은이들을 망치는 악당같이 혐오스러운 놈, 폴스타프 말이다.
늙은 하얀 턱수염의 사탄 말이다.

폴스타프 전하, 제가 아는 자입니다.

340 **왕자** 네가 아는 줄 알고 있다.

폴스타프 하지만 저 자신보다 그자 안에서 더 많은 해로움을 배웠다고
말하는 것은 제가 아는 것보다 더 많은 것을 말하는 것입니다. 그
는 늙어서 더 많은 연민을 갖게 하지요. 그의 하얀 수염이 그것을
말해주지요. 하지만 그가 사악한 자라고요? 용서해주십시오. 사
악한 자라는 것은 제가 완전히 부인합니다. 만약 술과 설탕이 잘
못이라면, 주여 사악한 이들을 도와주소서! 만약 늙고 명랑한 것
이 죄라면 그러면 제가 아는 많은 늙은 술집주인들도 저주 받아
345 야 합니다. 만약 살찐 것이 증오를 받는다면 그러면 파라오의 야
윈 소가 사랑을 받겠죠. 폐하, 피토를 추방하고, 바돌프를 추방하
고, 포인즈를 추방하십시오, 하지만 부드러운 잭 폴스타프, 친절
한 잭 폴스타프, 정직한 잭 폴스타프, 용감한 잭 폴스타프, 그리

고 늙은 잭 폴스타프이기 때문에 더욱 용감한 그, 폐하의 해리의 동료인 그를 추방하지 마십시오. 폐하의 해리의 친구를 추방하지 말아주십시오. 통통한 잭을 추방하면 모든 세상을 추방하는 것이 될 것입니다.   350

왕자 추방할 거다. 반드시 그렇게 할 것이다.

노크소리가 들린다. 주모, 프랜시스 그리고 바돌프 퇴장.
바돌프 뛰어서 다시 등장.

바돌프 오 나리, 나리, 행정관이 엄청나게 많은 순찰대와 함께 밖에 와 있습니다.

폴스타프 너 악당 놈 썩 나가거라! 연극을 끝내야지! 난 폴스타프를 대 355 신해서 할 말이 많아.

주모 다시 등장.

주모 아 세상에, 나리, 나리!

왕자 어어, 이거, 악마가 바이올린 활을 타고 오나? 무슨 일인가?

주모 행정관과 모든 순찰대들이 밖에 와있습니다. 이곳을 수색하러 왔 답니다. 그들을 들여보낼까요?

폴스타프 할, 듣고 있나? 진짜 금 조각을 가짜라고 말하지 말게. 자네는 360 본질적으로 그렇게 보이도록 만들어지진 않았지.

왕자 그리고 자네는 본능이 없이도 타고난 겁쟁이고.

폴스타프 난 자네의 가정을 부인하네. 만약 자네가 그 행정관을 거부할

거면, 그렇게 해. 만약 그러지 않을 거면, 그를 들여보내게. 만약
내가 나를 교수대로 데려갈 마차에 다른 사람만큼 잘 오르지 못
하면, 나의 출생에 저주가 있기를! 난 다른 사람처럼 올가미로 기
꺼이 교살당할 거야.

왕자 가서 저 커튼 뒤에 숨어 있게, 나머지는 위층에 올라가 있어. 자,
친구들, 정직한 얼굴과 선한 양심을 위하여.

폴스타프 난 그 둘을 다 가졌었어, 하지만 그 시효가 지나갔지, 그러므로
난 나를 숨길 거야. (폴스타프 커튼 뒤에 숨는다.)

왕자와 피토를 제외하고 모두 퇴장.

왕자 행정관을 들여보내게. (행정관과 인부 등장) 자 행정관나리, 무슨 일
인가?

행정관 먼저 실례하겠습니다, 나리. 흉악범을 쫓는 소리가 이 술집으로
들어오는 자들을 따라 왔습니다.

왕자 어떤 자들 말인가?

행정관 그들 중의 하나는 아주 잘 알려진 자로 아주 몸집이 뚱뚱한 자입
니다.

인부 버터처럼 지방이 가득한 자입니다.

왕자 자네가 말하는 자는 여기에 없네, 왜냐하면 내가 직접 이 시간에
그를 고용했기 때문이오. 그리고 행정관, 내일 정오까지 그를 자
네가 심문할 어떤 것에도 답변을 하도록 자네에게 보내겠다고 약
속하겠네. 그러니 자네가 이 집을 떠나도록 간청하네.

행정관 그러겠습니다, 나리. 이번 강도사건에서 삼백 마르크를 잃어버린

왕자 알겠네, 만약 그가 그 귀족들을 강탈한 것이면 그렇다고 실토할 걸세. 그러니 잘 가게.

행정관 안녕히 주무십시오, 왕자님.

왕자 난 이제 아침이라고 생각하는데, 그렇지 않나?

행정관 그렇습니다, 나리 두 시쯤 된 것 같습니다. 390

인부와 퇴장.

왕자 이 기름기 많은 악당 놈 성 바오로 성당만큼 잘 알려져 있구나. (피토에게) 가서 그를 데려오게.

피토 폴스타프!─커튼 뒤에서 잠들어서는, 말처럼 코를 골고 있어요.

왕자 그가 얼마나 깊이 잠들었는지 봐라─주머니를 뒤져봐라. (포인즈 주머니를 뒤져서 어떤 종잇조각을 발견한다.) 무엇을 찾았느냐?

피토 종잇조각밖에는 없는데요. 395

왕자 그게 무엇인지 보자, 읽어보아라.

피토 (읽는다) 품목 수탉 한 마리─2실링 2펜스, 품목 소스─4펜스, 품목 술 2갤론─5실링 8펜스, 품목 저녁 식사 후 멸치와 술─2실링 6펜스, 품목 빵─반 페니.

왕자 와 엄청나군! 그런데 이 엄청난 술값에 비해서 반 페니 빵이라니? 다른 것들은 더 좋은 기회에 읽게 될 거야. 나는 아침에 궁궐에 갈 것이다. 우리 모두 전쟁에 참가해야 해. 네게는 괜찮은 지위를 400 줄 것이다. 이 살찐 악당 놈에게 보병을 맡겨야지. 240야드의 행진으로 죽을 만큼 숨이 찰 것이겠지만 말야. 훔친 돈을 이자를 쳐서 갚게 되는 것이지. 아침 일찍 만나도록 하자. 그러니 잘 가라 피토.

405 **피토** 안녕히 주무십시오, 선하신 나리.

모두 퇴장.

3막

1장

뱅고르. 부주교의 저택.

핫스퍼, 우스터, 모티머 경, 오언 글렌다워 등장.

모티머 지원하겠다는 약속들은 확실하고, 참여자들도 믿을만합니다. 그러니 우리의 출발은 번영의 희망으로 가득 차 있습니다.

5 **핫스퍼** 모티머 경, 그리고 글렌다워 동지, 앉으시겠습니까? 그리고 우스터 숙부님. 빌어먹을! 지도를 잊었잖아.

글렌다워 아닙니다, 여기에 있습니다. (지도를 보여준다) 앉으시지요, 동지 퍼시. 앉아요, 선한 동지 핫스퍼. 이 이름으로 랑카스터가 자네를 언급할 때마다 그의 볼은 창백해 보였고, 끓어오르는 한숨으로

10 자네가 천국으로 속히 가주기를 바랐지요.

핫스퍼 그리고 그는 오언 글렌다워에 대해서 들을 때마다 당신이 지옥에 떨어지기를 빌었습니다.

글렌다워 나는 그를 비난할 수 없어요. 내가 태어날 때 하늘의 표면은

15 불길에 싸인 형체들, 불타는 횃불로 가득 차고, 지구의 틀과 거대한 기반이 겁쟁이처럼 흔들거렸어요.

핫스퍼 아니, 비록 당신이 결코 태어난 적이 없다고 하더라도, 그리고 만약 당신 어머니의 고양이가 새끼를 낳았더라도, 그랬을 거예요.

20 **글렌다워** 난 내가 태어났을 때 이 땅이 흔들렸다고 말하고 있는 겁니다.

핫스퍼 그리고 난 당신이 겁을 주어서 지구가 흔들렸다고 한다면, 내 생

각과 같지 않다고 말하는 것입니다.

글렌다워 온 천체가 불길에 싸였고, 지구는 떨고 있었어 ─

핫스퍼 아, 그러면 지구는 천체가 불타는 것을 보고 흔들렸군요. 당신의

탄생이 무서워서가 아니고요. 병든 자연은 종종 이상한 폭발을   25

통하여 분출되지요. 번식하는 지구는 종종 그 뱃속에 길들여지지

않은 바람을 품고 있어서 쪼이고 자극되는 일종의 심각한 위통을

겪는데, 그것이 확장을 하려고 분투하기 때문에 늙은 할머니 지   30

구를 흔들고, 뾰족탑과 이끼로 가득한 오래된 탑을 무너뜨리지요.

당신이 탄생했을 때, 우리의 할머니 지구는 그러한 신체적 장애

를 가졌기 때문에 고통으로 흔들린 겁니다.

글렌다워 동지, 나는 이러한 반론을 참을 수 없소. 다시 말하겠소, 내가   35

태어났을 때 하늘의 표면은 불타는 형체들로 가득했고, 염소들은

산 위에서부터 아래로 달려와서, 겁에 질린 들판을 향하여 이상

한 소리를 내었어요. 이 징조들은 나를 아주 비범한 사람으로 생

각하게 해서 나의 삶의 모든 과정이 내가 보통 사람들의 명부에   40

있지 않다는 것을 증명하고 있습니다. 살아있는 자 중에서 영

국·스코틀랜드·웨일즈의 해변을 잠식하고 있는 대양에 둘러

싸여 있는 자들 중에서, 나를 제자로 부르거나 나를 교육시켰다

라고 하는 자가 어디에 있습니까? 그리고 한 여인의 아들 중에서   45

나의 이렇게 힘겨운 마술의 과정을 따라오고, 심오한 실험에서

나를 따라잡을 자가 있다면 내 앞에 한번 데리고 와보시오.

핫스퍼 웨일즈 말을 더 잘할 사람은 없다고 생각합니다. 저녁이나 먹으   50

러 가겠습니다.

모티머 동지 퍼시, 진정하세요, 그를 화나게 할 겁니다.

글렌다워 난 혼령들을 아주 깊은 곳으로부터 부를 수 있소.

핫스퍼 그야, 나도 할 수 있지요. 아니 누구라도 할 수 있어요. 하지만 당
55   신이 혼령들을 부를 때 그들이 올까요?

글렌다워 그럼 악마에게 명령하는 법을 가르쳐 주겠습니다.

핫스퍼 그럼 나는 여러분에게, 진실을 말함으로써, 악마를 수치스럽게
할 수 있는 방법을 알려줄 수 있지요. 진실을 말하라, 그러면 악
마를 부끄럽게 한다. 당신이 악마를 불러올릴 힘을 가지고 있다
60   면, 그를 여기로 불러보세요, 내가 맹세하는데, 난 그 악마를 망
신시킬 힘을 가지고 있습니다. 아, 살아있는 동안 진실을 말하라,
그러면 악마를 부끄럽게 할 것이다!

모티머 자, 자 이렇게 불필요한 말싸움은 그만 하세요.

글렌다워 세 번 헨리 볼링브룩이 나의 군대에 대항하여 진격을 했었고,
65   세 번 내가 와이 강둑과 모래 바닥으로 된 쎄번 강으로부터 그를
군화도 없이 집으로, 비바람 속에 퇴각하게 했어요.

핫스퍼 군화도 없이 집으로, 그리고 험한 날씨 속에서도 역시! 도대체 어
떻게 그가 학질을 피할 수 있었지요?

글렌다워 자, 여기 지도가 있소, 우리의 삼자 동의서에 따라 우리의 권리
70   를 분배할까요?

모티머 아아치데콘 일가가 그것을 세 지역으로 아주 균등하게 나누었습
니다. 트렌트 강과 쎄번 강으로부터 여기 지점까지, 남동쪽의 영
국지역이 저에게 할당되었고, 쎄번 강 해안을 넘어서 웨일즈 서

쪽 지역 전부와 그 경계선 안에 있는 모든 비옥한 지역은 오언 글 75
렌다워 측에 할당되었습니다. 끝으로 형님에게는 트렌트로부터
북쪽으로 펼쳐져 있는 나머지 부분을 할당하였습니다. 이제 우리
의 삼자 계약서를 작성하고 삼자가 각각 서명한 뒤 함께 봉인을 80
하여 한 부씩 보관하는 것이 오늘 밤 수행해야 할 일입니다. 그런
후 내일 형님과 저는 우스터 경과 함께 곧 출정하여 형님 아버님
휘하의 스코틀랜드 병력과 예정대로 슈리스베리에서 합류하게
될 것입니다. 나의 장인어른은 아직 준비가 되지 않으셨지만 지 85
금부터 14일 동안 우리는 그의 원조가 없어도 크게 지장이 없을
것 같습니다. (글렌다워에게) 이 기간 동안에 장인어른께서는 어르신
의 소작인, 친구 그리고 이웃에 계시는 여러 귀족 분들을 함께 규
합해주십시오.

글렌다워 그보다 빠른 시일 내에 동지들과 합류할 수 있을 것이오, 그리 90
고 여러분들이 지금 조용히 떠나려 하고 있지만 경들과의 작별을
원하지 않는 여러분들의 부인들이 나의 호위 하에 여기로 올 것
입니다. 여러분의 작별로 물바다가 될지도 모르겠군요.

핫스퍼 내 몫 말이오. 여기 버튼에서부터 북쪽까지, 양적으로 여러분들 95
의 몫과 균등하다고 생각하지 않습니다. 이 강이 어떻게 구부려
져서 내 쪽으로 오고, 내 몫이 땅의 가장 좋은 부분으로부터 제외
되어 있고, 큰 반달모양으로 엄청난 부분이 떨어져 나갔는지를
보십시오. 내가 이 지역에 있는 해류를 막아서, 여기 잔잔한 빛 100
트렌트 강이 새로운 통로로 공평하고 고르게 흐르도록 할 것 입
니다. 이 강은 여기 이렇게 비옥한 강 유역을 강탈하기 위해서 그

렇게 깊은 만입으로 굴곡 되지 않을 것입니다.

105 **글렌다워** 굴곡 되지 않는다고? 그것은 그럴 것이야, 그래야만 해―자네
두고 보면 알걸세.

모티머 그래요, 하지만 이 강이 어떻게 흐르게 되어 있는지를 확인하세
요. 이것은 다른 쪽에 똑같은 이익을 주면서 흘러갑니다. 즉. 당
신 쪽에서 취한 땅만큼을 반대쪽에서도 잡아먹고 있단 말입니다.

110 **우스터** 맞습니다, 하지만 약간의 비용을 들이면 화약을 이용해서 이쪽에
해구를 만들 수 있을 겁니다. 그러면 이 북쪽 편에서 육지의 돌출
부분을 얻을 수 있고 그러면 강은 똑바로 평편하게 흘러내릴 것
입니다.

핫스퍼 그렇게 하도록 하겠습니다. 약간의 비용으로 충분할 것입니다.

115 **글렌다워** 변경을 허락하지 않겠소.

핫스퍼 허락하지 않으시겠다고요?

글렌다워 그렇소, 자네는 그렇게 하지 못할 거요.

핫스퍼 누가 내게 안 된다고 말할 수 있습니까?

글렌다워 그야, 내가 그럴 것이요.

120 **핫스퍼** 그러면 내가 알아듣지 못하게 하십시오. 웨일즈 말로 말하세요.

글렌다워 난 자네만큼 영어를 잘 할 수 있소. 영국 궁정에서 숙련을 받
았기 때문이요. 거기에서 젊은 시절 하프를 위한 영어로 된 아름
다운 소곡을 많이 작곡했었소. 그래서 영어를 음악으로 장식하는

125 법을 배웠소―자네에게서는 결코 볼 수 없는 능력이지.

핫스퍼 저런 온 마음을 다해서 기뻐해야겠군! 그런 운율이 있는 발라드
를 파는 자가 되기보다는 차라리 새끼 고양이가 되어 "야옹"하고

소리를 내는 게 낫겠습니다. 나는 차라리 놋쇠로 된 촛대가 회전   130
하는 소리를 듣거나 빡빡한 바퀴가 축대 위에서 삐걱거리는 소리
를 듣는 게 낫겠어요. 그러면 고상한 시만큼 내 이를 꽉 물도록
하지 않을 테니까요. 그것은 발을 질질 끄는 연약하고 늙은 말이   135
억지로 떼는 발걸음과 같을 테지요.

글렌다워 진정하시오. 자네는 트렌트가 굽어지도록 나두게 될 것입니다.

핫스퍼 상관없습니다. 난 그것의 세 배만큼의 땅을, 받을 자격이 있는 친
구에게 줄 것입니다. 하지만 거래할 때는, 잘 보십시오. 난 머리
카락 한 올의 아홉 배의 부분까지도 트집을 잡을 테니까요.   140

글렌다워 달빛은 공평하게 비추지요. 자네는 밤에 떠날 수 있겠군요. 내
가 계약서 작성자를 재촉하겠소. 그리고 동시에 여러분의 아내들
에게 출정에 대해서 이야기하겠습니다. 나의 딸이 모티머를 몹시
도 사랑하고 있어서 역정을 내지나 않을까 걱정이군요.   145

모티머 이거, 퍼시 형님, 어떻게 제 장인어른에게 그렇게 적대적인 행동
을 할 수 있는 겁니까!

핫스퍼 나도 어쩔 수가 없네. 그는 나에게 사마귀와 개미에 대해서, 마법
사 멀린과 그의 예언들에 대해, 그리고 용과 지느러미 없는 생선,   150
날개가 갈라진 신비스러운 짐승과 깃털을 잃은 갈까마귀, 웅크려
있는 사자와 뒷다리로 서 있는 고양이, 그리고 나의 믿음을 회의
적으로 만드는 온갖 부조리한 이야기들을 해서 나의 화를 돋우곤
한단 말이야. 자네에게 말하겠는데—그는 지난 밤 그의 종복들인   155
여러 마귀들의 이름을 일일이 열거하면서 나를 적어도 아홉 시간
은 붙들어 놓았어. 나는 "흠" 하고 그리고 "자, 사라져라!" 하고

외쳤네, 하지만 그는 한 마디도 알아차리질 못했어. 아, 그는 지
친 말, 잔소리하는 마누라처럼 지루하고, 연기 가득찬 집보다 더
심해. 산해진미를 먹으면서 기독교국에 있는 부잣집 별장에서 그
의 말을 듣느니 차라리 방앗간에서 치즈와 마늘을 먹으면서 사는
게 낫겠어.

모티머 진실로, 그는 고명하신 귀족 분이십니다. 지극히 박식하시고 사
자처럼 용맹스럽고, 놀라울 정도로 다정하시고 인도의 광산처럼
풍요로우세요. 제가 말씀을 드려도 되겠습니까, 형님? 그분은 매
형의 기질을 최대한 존중하셔서 매형이 그의 심기를 자극했을 때
당연한 감정표현도 억제를 하셨습니다, 정말 그러셨습니다. 형님
께서 하신 것처럼 그를 화나게 하고서 보복이나 비난을 받지 않
은 자가 아무도 없었다는 것을 보증할 수 있습니다. 하지만 너무
자주 사용하지 마시라고 간청합니다.

우스터 (핫스퍼에게) 참으로 너의 방자함이 너무 지나쳤어. 그의 인내심의
한계로 몰아가기에 충분했으니까 말이야. 조카님은 참으로 이러
한 단점을 보완하는 법을 배워야만 하네. 때로는 위대함, 용기,
활기로 보이긴 하지만—이것들은 자네에게 부여하는 가장 소중
한 장점이지만—그러나 종종 그것은 거친 분노, 예의범절의 결
핍, 자기 조절의 부족, 오만, 불손, 자만, 모멸을 나타내기도 하지.
귀족다움과 가장 거리가 먼 그러한 자질들은 사람들의 마음을 잃
고 모든 다른 좋은 자질들에 대하여 칭찬 받을 여지를 없애서 자
네의 명예에 오점을 남기게 되네.

핫스퍼 원 이거, 훈계 잘 받았습니다—좋은 예의범절이 여러분께 행운을

가져다주기를! 여기 우리 부인들이 오는군요, 자 자리를 뜹시다.

글렌다워 부인들과 다시 등장.

모티머 이것은 나를 화나게 하는 치명적인 고통이로군. 나의 아내는 영

어를 못하고, 나는 웨일즈 말을 하지 못하니.

글렌다워 나의 딸이 울고 있네. 자네와 이별하지 않으려고 하고 있어. 이

아이도 군인이 되어서 전쟁터로 가겠다고 고집을 부리고 있네.　　195

모티머 선하신 장인어른, 제 아내에게 그녀와 퍼시 부인이 장인어른의

호위 하에 신속하게 따라야 한다고 말씀해주십시오.

글렌다워 웨일즈 말로 그녀에게 말하고
그녀는 같은 말로 그에게 대답한다.

글렌다워　이 아이는 여기에 기를 쓰고 있으려고 하네. 아주 고집 센 말

괄량이야. 어떤 설득도 효력이 없어.

모티머 부인 웨일즈어로 말한다.

모티머 당신의 표정을 이해하겠어요. 나는 당신이 이렇게 부풀어 오르는　　200

천체들로부터 솟아내는 그 우아한 눈물에는 유창하니까요. 그래

서 수치감 없이 난 당신에게 그러한 언어로 대답을 합니다. (모티머

부인 다시 웨일즈어로 [말한다].) 나는 당신의 키스들을 이해하고 당신은

나의 것을 이해하지요. 이것은 하나의 경쟁이 되겠군요. 그러나

내 사랑, 내가 당신의 언어를 배울 때까지 나는 결코 게으른 학생　　205

이 되지 않을 겁니다. 왜냐하면 당신의 혀는 웨일즈어도 어여쁜
여왕에 의해 여름 정자에서 루트에 맞추어서 노래 불러지는 매혹
적인 장식으로 정교하게 작곡된 소곡만큼 달콤하게 만들기 때문
210   입니다.

글렌다워 안되네. 자네가 울면, 그러면 이 아이는 못견뎌버릴 것이네.

그들은 웨일즈어로 다시 말한다.

모티머 아, 내가 이 언어에 대해서 완전히 무지하구나!

글렌다워 이 아이는 자네가 갈대로 꾸민 화려한 바닥에 누워서 자네의
고귀한 머리를 그녀의 무릎에 올려놓기를 간청하고 있네. 그러면
215   이 아이가 자네를 즐겁게 해줄 노래를 불러줄 걸세. 그러면 자네
의 눈꺼풀 위로 잠의 신이 지배해서, 태양신의 마차를 끄는 말들
220   이 동쪽으로 그들의 황금 여정을 시작하기 전의 시간인 낮과 밤
사이의 시간처럼 깨어남과 잠 사이의 기분 좋은 나른함으로 마법
을 걸어 주겠다고 하네.

모티머 온 마음을 다해서 우리의 동의서가 작성될 때까지, 앉아서 그녀
의 노래를 듣겠습니다.

225 **글렌다워** 그렇게 하세. 그러면 연주해줄 음악사들이 여기서부터 3천 마
일만큼 떨어진 허공에서부터 곧장 여기 자네에게 올 걸세. 앉아
서 들어 보면 알게 될 거야.

핫스퍼 케이트, 여기로 오시오, 당신은 눕는 데 선수지. 자, 빨리, 빨리,
당신의 무릎을 베고 누울 수 있게.

230 **퍼시부인** 어머나, 이 양반이.

음악이 연주된다.

핫스퍼 이제 악마가 웨일즈어를 이해한다는 것을 알겠군. 그가 그렇게 변
덕스러운 게 놀랄 일도 아니군. 분명히, 그는 능력 있는 음악사야.

퍼시부인 그러면 당신은 단지 음악적이 되어야겠군요. 분위기에 의해 완 235
전히 지배되니까요. 가만히 누우세요, 그리고 저 부인이 웨일즈
어로 노래하는 것을 들어 보세요.

핫스퍼 난 차라리 암캐가 아일랜드 말로 울부짖는 소리를 듣는 게 낫겠어.

퍼시부인 머리카락이 뜯기고 싶으세요?

핫스퍼 아니.

퍼시부인 그러면 조용히 가만히 계세요.

핫스퍼 그것도 싫은데. 그것은 여자들의 결점이니까.

퍼시부인 주님께서 당신을 도와주시기를! 240

핫스퍼 웨일즈 부인의 침대로.

퍼시부인 뭐라구요?

핫스퍼 조용히 하시오, 그녀가 노래를 불러요. (여기서 모티머 부인은 웨일즈
노래를 부른다.) 자, 케이트, 난 당신 노래도 들을 것이요.

퍼시부인 정말로 노래는 안 돼요. 245

핫스퍼 진실로 당신 노래는 안 된다! 여보, 당신은 사탕장수 아내처럼 맹
세하는군―"진실로 당신은 아니에요!" 그리고 "내가 살아있는
것만큼 진실해요!" 그리고 "주님이 나를 고쳐주시듯이!" 그리고
"낮만큼 확실하게"―그리고 마치 당신이 핀즈버리보다 더 멀리 250
걸어본 적이 없는 것처럼 당신의 맹세에 실크 천처럼 얇은 확신

을 주지. 케이트, 당신의 신분대로 귀족부인처럼 선한 입을 채우는 맹세를 해보시오. "진실로"라는 말은 빼시고요. 그러한 온화한 맹세로 하는 항의는 벨벳으로 장식한 옷을 입은 자나 주일을 위해 좋은 옷을 준비하는 자들에게나 하시오. 자, 노래해보시오.

퍼시부인 전 노래하지 않을 거예요.

핫스퍼 노래할 줄 안다고 해도 재봉사가 되거나 로빈 새에게 노래를 가르치는 것 밖에 없겠지. 동의서가 작성이 되는 대로 두 시간 내에 떠날 것이오. 그러니 당신이 원할 때 들어오시오. (퇴장)

글렌다워 자, 자, 모티머 경, 자네는 불같은 퍼시 경이 성급한 게 결점인 만큼이나 지독히도 느긋한 게 문제이군. 지금쯤 우리의 동의서가 작성이 되었을 거요―우리는 봉인만 할 것이오. 그러니 그런 다음 곧장 말이 있는 곳으로 가시오.

모티머 그렇게 하겠습니다.

모두 퇴장.

2장

왕, 웨일즈 왕자, 그리고 다른 사람들 등장.

왕   중신들, 자리를 피해주세요. 웨일즈 왕자와 이야기할 것입니다.
허나 가까이에서 대기해주세요. 짐이 곧 여러분을 찾을 것입니다.
(중신들 퇴장) 주님께서 내가 저지른 언짢은 일들 때문에 그의 비밀
스러운 심판으로 나의 자손들에게서 나에 대한 복수와 원한을 행
하시려고 그러시는 모르겠구나. 너의 행위를 보니 너는 나의 잘   5
못된 행동을 벌주시기 위한 하늘의 혹독한 복수로 하늘의 매를
대신하기 위해 정교하게 계획된 것이란 걸 믿지 않을 수 없구나.
그렇지 않다면 한번 말해 보거라. 네가 지금까지 무리지어 다니   10
면서 함께 저질러온 방탕한 생활, 그렇게 천박하고, 야비한 비행
들과 헛된 쾌락, 저속한 교제가 어떻게 너의 높은 지위에 수반될
수 있으며, 너의 왕족의 마음과 동일해질 수 있다고 생각하느냐?   15

왕자   진정하십시오. 폐하, 저에게 부가된 모든 죄들을 정화시킬 수 있
다고 확신하는 정당한 이유가 있기 때문에 모든 죄목의 혐의를   20
풀기를 원합니다. 하지만 정상참작도 간청합니다. 그래서 제가
거짓비난에 대해서 반박할 때 실제 저지른 잘못에 대해서는 솔직
히 인정하고 용서를 구할 수 있도록 말입니다.   25

왕   주님께서 너를 용서해주시기를! 하지만 해리, 네 성향은 정말로
       놀랄 따름이다. 너의 비행은 모든 너의 조상들보다 너무 지나친
30   것이야. 폭력을 행사해서 의회에서의 자리를 잃어버리고, 그 결
       과 네 아우가 맡게 하고, 너는 모든 궁정의 사람들과 나의 혈족의
       왕자들에게 마음으로 이방인이 되어 있다. 너의 젊음에 대한 희
35   망과 기대는 다 무너졌고 모든 사람의 영혼은 너의 몰락을 예언
       하고 있다. 만약에 내가 나의 존재를 그렇게 낭비하고, 사람들의
       눈에 많이 노출되어서 값싸지게 했다면, 여론은 나에게 왕관을
40   허락하지 않고 본래 왕관 보유자인 리처드 2세에게 주목하게 되
       어, 나는 성공의 전말이라곤 전혀 없는 자가 되었을 것이다. 하지
       만 나는 사람들 앞에 내 모습을 좀처럼 보이지 않음으로써, 내가
45   움직이면 혜성처럼 사람들을 놀라게 해서, 자신들의 아이에게,
       "그분이시다!" 라고 말했고, 또 다른 사람들은 "어디, 어느 분이
       볼링브록이시지?"라고 소리 지르게 되었던 것이다. 그때 나는 하
50   늘의 우아한 몸가짐을 훔쳐내어 겸손으로 옷을 입고, 심지어 왕
       관을 쓴 왕이 왕좌에 버젓이 있음에도 불구하고 그 앞에서 사람
       들이 맹세하고 환호하는 것을 가능하게 한 것이었다. 이렇게 나
       는 나의 인성을 신선하고 새롭게 유지해서, 나의 존재는 대주교
55   의 의복처럼 보이게 되어 절대적으로 경외심을 받았고, 희귀하지
       만 화려한 나의 장엄함은 축제처럼 보였고 희귀함에 의해 깊은
       엄숙함을 얻었다. 그 경솔한 왕은 얄팍한 광대들과 측대보로 거
60   리를 여기저기 걸으면서, 금방 타다가 곧 꺼져버리는 위트로, 그
       의 위엄을 망치고 그의 왕권을 재잘거리는 광대들과 혼합시켜서,

그의 위대한 이름이 그들의 어리석음으로 남용되게 했고, 조롱하는 어린 아이들을 비웃기 위하여 그리고 조롱하는 비유를 만들어 내는 미성숙한 자들의 조롱에 자신을 노출시켜서 그의 얼굴이 왕 65
족의 명성에 해가 되도록 하였고, 인기에 휩싸여서 저잣거리에서
친구를 사귀어서, 날마다 사람들의 눈에 띄어, 사람들이 적어서 70
가 아니라 너무 많아서 꿀에 물리듯, 그 달콤한 맛을 혐오하기 시
작했다. 그래서 그가 보일 경우가 있을 때 그는 단지 6월에 흔히
볼 수 있는 뻐꾸기 같아서 소리가 들리기는 하지만 존경을 받지 75
는 못했다. 오히려 친숙함으로 싫증나고 무뎌져서 태양과 같은
장엄함에 구부러지는 그런 특별한 응시를 받지 못하였다. 이따금
모습을 드러내는 태양을 보는 그런 경배하는 눈과는 전혀 거리가 80
멀었다. 졸린 듯이 눈꺼풀은 아래로 처지고, 그의 면전에서 잠들
어 버리거나, 심기가 상한 사람이 습관적으로 그들의 적들에게
하는 식으로 그의 면전에서 그들의 존재를 물리도록 먹고, 포식 85
하여 이제는 배가 터질 지경이 되었다는 표정을 지어보였다. 해
리, 너는 천하고 저속한 사람들과 교제함으로써 너의 왕자다운
특권을 잃어버렸기 때문에 그러한 부류에 속한다. 세상에 너무
많이 알려진 너의 모습에 싫증나지 않은 눈은 내 눈 밖에 없다. 90
그런데 어리석은 애정의 눈물로 가득 차서 보려고 해도 볼 수가
없구나.

왕자 너무도 자비로우신 폐하, 지금부터는, 좀 더 제 신분에 맞도록 행
동하겠습니다.

왕 모든 면에서 너는 내가 프랑스로부터 레이번스퍼에 입성하던 그

때의 리처드와 같고 그 때의 나는 지금의 퍼시와 같구나. 지금 이 왕홀에 의해서, 그리고 내 영혼에 두고 맹세하는데 그는 합법적으로 왕손인 너보다 훨씬 더 왕좌에 오를만한 자질을 갖고 있다. 그는 어떤 권리도 없고 권리라고 할 만한 구실도 없지만 전쟁터를 그 지역의 무장한 군사들로 가득 채우고 이 무장한 사자의 입에 대항하여 그의 군대를 이끌고 있다. 나이에서는 너보다 빚진 것이 없는데도 말이다. 그는 오랫동안 정착해온 중신들과 존경받는 주교들을 피비린내 나는 전투와 위험한 무력으로 이끌고 있다. 그는 저 이름난 더글라스를 대항해서 결코 사라지지 않을 영광을 얻지 않았던가! 그의 높은 행위, 그의 난폭한 공격과 군대에서의 높은 명성은 모든 군사들로부터 군사적 명성과 저명함을 그리스도를 알고 있는 모든 왕국에 퍼져 있다. 이 핫스퍼, 아이를 위한 천으로 감싸진 전쟁의 신 마르스, 이 젊은 전사는, 더글라스를 패배시키고 생포한 다음, 다시 그를 방면하여 결국 자기편으로 만들어서 우리 왕권의 평화와 안전을 흔들고 있다. 이것에 대해서 어떻게 생각하느냐? 퍼시, 노섬벌랜드, 요크의 대주교, 더글라스, 모티머가 우리에게 대항하는 조항을 작성하고 들고 일어섰다. 하지만 내가 이런 소식을 무엇 때문에 너에게 말하겠느냐? 해리, 너는 나의 가장 가까운 혈육이면서 가장 무서운 적인데 말이다. 너는 비열한 공포, 저속한 성향, 불같은 기질을 통해서, 퍼시의 지휘아래서 도리어 나에 맞서 싸우고, 개처럼 그를 쫓고, 그의 찡그림에도 존경을 보이면서, 네가 얼마나 타락했는지 충분히 보여줄 것인데 말이다.

왕자 그렇게 생각하지 마십시오. 그렇지 않다는 것을 아시게 될 것입니다. 그리고 폐하의 선한 생각을 저로부터 그렇게 많이 동요되도록 조장한 자들을 주님께서 용서하시기를 빕니다! 제가 퍼시의 목을 베어서 저의 죄를 속죄하도록 하겠습니다. 그리고 승리한 전투의 끝에 제가 피로 범벅이 된 의복을 입고 제 얼굴을 피투성이가 된 마스크로 더럽혀서, 그것을 씻어버림으로써, 그것과 함께 저의 수치를 정제하게 될 때, 제가 당신의 아들이라고 감히 말씀드리겠습니다. 언제인지는 모르나 그 날은 영광과 명성을 가진 아이, 이 용감한 핫스퍼, 모든 이에게서 칭찬 받는 기사와 당신이 무시하는 해리가 서로 만나게 되는 날이 될 것 입니다. 그의 헬멧 위에 놓인 모든 영광으로 그의 명예는 많아지고, 내 머리 위에는 나의 수치심만이 배가되기를 기대합니다! 왜냐하면 내가 이 북쪽 젊은이와 그의 영광스러운 행위를 나의 모욕과 바꿀 날이 올 것이기 때문입니다. 선하신 폐하, 퍼시는 단지 저를 대신해서 영광스러운 업적을 쌓는 저의 대행인일 뿐입니다. 그래서 저는 그에게 엄격한 청구서를 주어서 그의 모든 영광, 그렇습니다, 심지어 아주 사소하게 얻은 명예도 다 반납하도록 할 것입니다. 그렇게 하지 않으면, 그의 심장으로부터 그 영수증을 떼어낼 것입니다. 주님의 이름으로 이 자리에서 약속합니다. 만약 주님께서 기뻐하시면 저는 그것을 수행할 것입니다. 폐하께서 저의 무절제로 오랫동안 생긴 상처에 약을 바르시기를 간청합니다. 만약 그러지 않으시면, 이 목숨을 끊어서 모든 맹세를 취소하겠습니다. 그래서 이 맹세의 아주 조그만 부분이 어겨지게 될 때 저는 십 만 번이라도 죽

130

135

140

145

150

155

160

어서 보상을 하겠습니다.

왕   너의 말에서 십만 명의 반역자가 죽게 되었다. ―너는 여기에서 군대의 명령권과 나의 최고의 신뢰를 얻게 될 것이다. (블런트 등장) 어쩐 일이오, 선한 블런트? 경의 모습이 긴급함으로 가득 차 있군요.

블런트   제가 말씀드리려고 하는 일이 그렇습니다. 스코틀랜드의 모티머 경이 더글라스와 영국의 반란군이 슈르스베리에서 이달 11일에 만날 것이라는 전갈을 보내왔습니다. 그들은 강력하고 두려운 군대들이어서 합세하게 되면 이 나라에 최악의 전투를 가져올 것입니다.

왕   웨스트멀랜드 백작이 나의 아들, 랑카스터의 존 경과 함께 오늘 출정하였습니다. 이것에 대한 정보가 5년 전부터 있었기 때문입니다. 다음 주 수요일에, 해리가 출격하고, 목요일에 짐이 직접 적을 향해 진격할 것입니다. 우리의 집합 장소는 브리지놀스입니다. 그리고 해리, 너는 글로스터 지역을 통과하여 행진하여라. 예측되는 것에 따라, 지금부터 약 12일 후에, 우리의 중대 병력은 브리지놀스에서 만날 것이다. 우리의 손은 급한 일들로 가득 차 있으니, 떠납시다. 우리가 지체하는 동안 반란의 기회가 살찌게 될 테니까요.

모두 퇴장.

3장

이스트 칩. 보어스헤드 주막.

폴스타프와 바돌프 등장

폴스타프 바돌프, 지난번 교전 후에 너무 심하게 수척해진 것 같지 않나? 살이 빠진 것 같지? 홀쭉해진 거 같지 않은가? 아, 내 살갗은 늙은 여인네의 느슨한 옷처럼 축 쳐져 매달려 있네. 나는 오래된 사과처럼 시들었어. 음, 회개를 할 거야, 그렇게 하고 싶은 기분이 들 때, 즉시 해야지. 그렇지 않으면 마음이 변할 테니까. 그리 5 고 교회 내부가 어떻게 생겼는지 잊지 않고 있지. 난 작고 시들어버린 후추열매이고, 쇠약한 말과 같아. 교회의 내부라니! 못된 친구들, 악당 같은 공모자가 나를 이렇게 망쳐놓은 거야.

바돌프 존 경, 그렇게 화를 많이 내면 오래 살지 못해.

폴스타프 아, 바로 그거야. 자 나에게 선술집 노래를 불러서 즐겁게 해주 10 게. 난 한 귀족양반이 필요로 하는 것만큼 정당하게 했지. 충분히 합당하게 거의 맹세하지 않았고, 일곱 번 이상은 노름을 하지 않았어―일주에 말이야. 그리고 사분의 일 시간에 한 번 이상은 갈보 집에 가지 않았어―한 시간의 사분의 일에 한 번, 그리고 내가 빌린 돈은 갚았지―서너 번, 잘 살았었어. 어느 기준 내에서 말이야. 하지만 지금 모든 영역 밖에서, 이 원주 밖에서 살고 있지.

바돌프 물론, 존 경, 자넨 너무 뚱뚱해서 반드시 모든 영역 밖에 있는 게
틀림없어. 모든 합당한 영역 밖에 말이야, 존 나리.

폴스타프 네 놈의 얼굴을 고쳐라, 그러면 내 삶을 개선하겠다. 너는 우리
의 기함이지. 너는 배의 선미에 등불을 달고 있어야 하는데 그것
이 네 코 위에 있어. 너는 불타오르는 램프의 기사로구나.

바돌프 뭐라고, 존 경, 내 얼굴이 자네에게 해를 주는 건 없잖나.

폴스타프 그렇긴 하지, 맹세코. 난 사람들이 죽음의 상징인 해골을 이용
하는 것만큼 자네의 얼굴을 잘 이용할거야. 네 얼굴을 보면 난 항
상 지옥 불, 또는 자줏빛 옷을 입고 살았던 성경 속의 부자 다이
브즈가 생각나. 왜냐하면 거기에서 그자는 옷을 입고, 지옥 불에
서 활활 탔지. 만약 네가 은혜를 받게 되면, 난 네 얼굴을 위해 기
도할 거야. 나의 맹세는 "이 불을 보니, 주님의 천사로군!"이 되
어야만 하겠지. 그러나 너는 은혜의 기회를 완전히 놓쳤어. 너의
얼굴에 있는 그 빛을 제외하고는, 너는 참으로 완전히 어둠의 자
식이야. 네가 나의 말을 잡기 위해서 밤에 개즈 힐을 올라갈 때,
네가 도깨비불이라고 생각하지 않았다면, 돈이 아무런 가치도 없
는 것과 같네. 아! 너는 영원한 승리, 영원히 지속되는 모닥불 빛
이야! 밤에 너와 함께 이 술집 저 술집을 걸어 다닐 때 나에게 불
꽃과 횃불에 들어갈 천 마르크를 절약시켜 주었지. 하지만 네가
마신 술은 유럽에 있는 가장 좋은 양초가게에서만큼 값싸게 빛을
사 줄 수 있었을 텐데. 너의 불이 붙은 도마뱀을 32년 동안 사용
할 수 있었어. 주님께서 보상을 해주신 거지!

바돌프 쳇, 그렇게 좋으면 내 얼굴을 뱃속에 넣으시지 그래요!

폴스타프 그러면 내 심장에 불에 붙을 거야. (주모 등장) 안주인, 그래 누가 35

내 호주머니를 털었는지 물어보았나?

주모 어머, 존 나리, 뭐라고요? 나리, 내가 이 집에 도둑을 키우고 있다

고 생각하세요? 제가 다 찾아보고, 어른이면 어른, 아이면 아이,

하인이면 하인 모두에게 물어봤어요, 내 남편도 그렇게 했어요.

지금까지 머리털 한 올의 십 분의 일도 이 집에서 없어진 적이 없

어요.

폴스타프 이봐, 주모 거짓말을 하고 있군. 바돌프가 면도를 해서 많은 털 40

을 잃었는데 말이야. 내 맹세하는데 내 주머니가 털린 게 틀림없

어. 가버려, 사기꾼 여편네, 가라고.

주모 누구? 나 말인가? 아니, 너 나하고 한판 붙자. 하늘에 맹세코, 내

집에서 이렇게 모욕을 당한 적이 없어.

폴스타프 가버려, 내 너를 아주 잘 알고 있다.

주모 아니, 존 경, 넌 나를 몰라. 존 경, 내가 너 존 경을 잘 알지. 너 45

나에게 돈을 빚졌지. 그러고는 이제 그것을 얼버무릴려고 싸움을

거는거지. 내가 네 놈이 입으라고 열두 벌의 셔츠를 사주었는데

말야.

폴스타프 값싼 린넨, 싸구려 천이었어. 내 그것을 빵집 주인 아낙네들에

게 주어버렸지. 그들은 그것을 체질 하는 데 쓰더군.

주모 내 이제 정직한 여자로서 말하는데, 그게 야드 당 8실링 하는 홀 50

란드 산 고급 린넨이었어. 게다가 너는 여기서 너의 끼니와 끼니

사이에 마신 술값과 빌려간 24파운드도 빚지고 있어.

폴스타프 (포인즈를 가리키며) 저자가 그 일부를 썼으니, 저자에게 갚으라고

하게.

주모 저자더러, 맙소사, 그는 빈털터리야. 그는 가진 게 하나도 없다고.

폴스타프 뭐라고? 빈털터리라고? 저자의 얼굴을 봐. 어떤 걸 부자라고
하지? 저자의 코를 돈으로 바꾸고, 저자의 볼을 돈으로 바꾸라고.
난 구리 동전 하나도 지불하지 않을 테니까. 내가 애송이줄 알고
있지? 내가 호주머니가 털리지 않고는 술집 여관에서 편하게 있
을 수 없다는 말이야? 난 가보로 내려오는 내 할아버지의 40마르
크 값이 나가는 반지를 잃어버렸어.

주모 어머 세상에, 내가 그 반지가 구리로 된 것이라고 왕자님께서 말
하는 것을 들었는데. 얼마나 자주 들었는지 몰라.

폴스타프 어떻게 말했다고? 그 놈의 왕자가 악당 놈이군. 쳇, 그가 여기
서 그렇게 말한다면 내 그 놈을 개처럼 패줄 테다. (왕자 [피토와 함
께] 행진을 하며 등장한다. 폴스타프 그를 보고, 그의 곤봉을 마치 피리처럼 연주
한다.) 어쩐 일인가, 젊은이? 우리 모두가 행진을 해야 할 상황임
이 틀림없지?

바돌프 그렇지, 두 명씩 나란히, 죄수들을 둘씩 묶어서 이동하게 하는 뉴
게이트 교도소처럼 말이야.

주모 나리, 제발 제 이야기를 들어주세요.

왕자 무슨 소리요, 퀴클리 주모? 자네 바깥양반은 잘 있나? 내가 참
좋아해. 아주 정직한 사람이야.

주모 선하신 나리, 제 말을 들어보세요.

폴스타프 저 계집은 그냥 내버려두고 내 말을 들어보게.

왕자 잭, 무슨 일인가?

폴스타프 요 전날 내가 여기, 저 커튼 뒤에서 잠이 들었는데 그때 지갑 ₇₀ 이 털렸어. 이 술집은 갈보 집으로 변해서, 손님의 호주머니를 털고 있어.

왕자 잭, 뭘 잃어 버렸는데?

폴스타프 할, 내 말을 못 믿는 건가? 40파운드짜리 증서 서너 개와 내 할아버지의 도장이 새긴 반지일세.

왕자 별거 아니네. 한 8페니 정도 되겠군. ₇₅

주모 저도 그렇게 말했습니다. 나리 그리고 왕자님께서 그렇게 말씀하시는 것을 들었다고 했죠. 그런데, 나리, 저자가 나리에 대해서 더러운 입으로 험담을 하고 나리를 곤봉으로 때릴 것이라고 했어요.

왕자 뭐라고? 그가 그럴 리가 있나?

주모 그렇지 않다면 제 안에 믿음도 진실도 없고, 또한 여성다움도 없 ₈₀ 습니다.

폴스타프 네게 믿음이 없기는 갈보 집 청지기에게 믿음이 없는 것과 같고, 네게 진실함이 없는 것은 사냥에서 잡힌 여우에게 진실함이 없는 것과 같지. 그리고 여성스러움에 대해서라면, 저 교양 없는 마리안 처자가 너에 비하면 행정구역 보좌관의 아내가 될 수 있을 거야. 가, 너 따위 쓸모없는 물건, 가라고!

주모 뭐라고, 물건이라고, 말해, 어떤 물건인데?

폴스타프 어떤 물건이냐고? 어, 그것을 주신 것에 주님께 감사드려야 할 ₈₅ 물건이지.

주모 난 주님께 감사드려야 할 그런 물건이 아니야. 똑똑히 알아두어야 할 게 있는데 말이야. 나는 정직한 남자의 아내야. 기사도 정신도 없이 나를 그렇게 부르다니 짐승 같으니라고.

폴스타프 너의 여성다움을 무시하고, 그렇지 않다고 말하니 너는 금수로구나.

90 **주모** 말해, 무슨 짐승, 너 악당 놈, 너?

폴스타프 어떤 짐승이냐고? 그야, 수달이지.

왕자 존 경, 수달이라고? 왜 수달인가?

폴스타프 왜냐고? 저 계집은 어류도 아니고 육류도 아니어서, 정체를 모르겠으니 말이야.

주모 그렇게 말하다니 정말로 몹쓸 자로구나. 네 놈은 물론 세상 모든

95 사람들이 내가 무엇인지 다 알고 있어. 너 악당 놈, 너.

왕자 주모, 자네 말이 옳아. 저자는 가장 추잡하게 비방하고 있어.

주모 나리, 저자가 왕자님에게도 그렇게 했습니다. 그리고 요 전날 나리가 그자에게 천 파운드를 빚졌다고 했습죠.

왕자 여봐, 내가 자네에게 천 파운드를 빚졌나?

100 **폴스타프** 할, 천 파운드라고? 백만 파운드이지. 자네의 사랑은 백만 파운드 가치가 있지. 자네는 나에게 자네의 사랑을 빚졌네.

주모 아닙니다, 나리. 저자는 나리를 악한 잭이라고 부르고 나리를 곤봉으로 때릴 것이라고 했습니다.

폴스타프 내가 그랬나, 바돌프?

바돌프 예, 정말 그렇게 했습니다.

105 **폴스타프** 그렇지, 만약 왕자가 나의 반지를 구리라고 말하면 말이야.

왕자 그거야 구리반지이지. 지금 자네가 한 말을 지킬 수 있는지 보여줄 수 있겠나?

폴스타프 이봐, 할, 자네는 내가 유일하게 두려워하는 사람이라는 걸 자 110
네가 잘 알잖아. 하지만 자네가 왕자여서 그러는 것은 아니야. 내
가 사자 새끼의 으르렁거리는 소리를 두려워하기 때문에 자네를
두려워하는 거지.

왕자 그런데 왜 사자 때문은 아닌가?

폴스타프 왕 그분 자신은 사자로서 두려움을 받아야 해. 자네, 내가 자네
아버지만큼 자네를 두려워한다고 생각하나? 그렇다면 주님이 나의
이 허리띠를 끊어버리시기를 바라겠네.

왕자 오, 그 허리띠가 끊어져야 자네의 창자가 무릎 위에 쏟아져 나올
수 있는 거지! 하지만, 여봐, 자네의 가슴속에는 믿음, 진실 또는
정직함을 위한 여지는 없어. 그저 창자와 횡격막으로 가득 차 있
지. 한 정직한 여인네를 자네 호주머니를 털었다고 고발했다고? 115
넌 천하고 무분별하게 살이 찐 악당이야. 만약 너의 주머니에 선
술집 영수증, 색시집 쪽지하고 호흡을 연장하게 위한 단지 1페니
짜리 설탕 사탕 이외에 다른 것을 가지고 있으면, 네 호주머니가
이런 것들을 제외하고 다른 항목들로 풍부해져 있다면 내가 나쁜
놈일세. 그러나 자네는 끝까지 잘못을 인정하지 않은 거지? 부끄
럽지 않은가?

폴스타프 할, 듣고 있나? 순수의 시절에 아담이 타락한 것을 알고 있지? 120
그러면 이런 악당의 시기에 불쌍한 잭 폴스타프가 무엇을 해야만
하는가? 내가 다른 사람들보다 더 많은 살을 가지고 있어서 더
많이 연약하다는 것을 알잖나. 그러면 털어봐보게. 자네가 내 주
머니를 털었나?

왕자　이야기상으로는 그런 것처럼 보이네.

125 **폴스타프**　주모, 내가 용서하겠다. 가서 아침을 준비하도록 하고 너의 남편을 사랑하고 하인을 돌보고 너의 손님들을 소중하게 대접해라. 내가 합당한 이유는 잘 받아들인다는 것을 알게 될 것이다. 내가 항상 평온하다는 것을 알 것이다. 자 가거라. (주모 퇴장) 자, 할, 궁궐에서의 소식을 들려주게. 그 강도사건에 대해서. 어떻게 설명하였나?

왕자　오 나의 친절한 고깃덩어리, 난 자네에게 여전히 좋은 천사가 되
130 어야 해―그 돈은 변상되었어.

폴스타프　아, 나는 다시 갚는 걸 좋아하지 않아. 그건 이중 노동이잖아.

왕자　아버지와 화해를 했네. 그래서 이제 어떤 것이라도 할 수 있지.

폴스타프　그러면 첫 번째로 국고를 터는 게 어때. 그것도 당장에 말이야.

135 **바돌프**　그러십시오, 나리.

왕자　잭, 내가 자네에게 보병자리를 마련해놓았네.

폴스타프　기마병이었으면 좋았을 텐데. 어디서 잘 훔칠 수 있는 자를 찾을 수 있을까? 스물셋쯤 되는 좋은 도둑이 있으면 좋겠는데. 난 정말로 여건이 좋지 않아. 자, 주님께서 이 반란자들 때문에 감사받으시기를. 그들은 덕이 있는 자를 제외하고는 아무도 성나게 하지 않아. 나는 그들을 칭송해. 그들을 칭송하지.

140 **왕자**　바돌프!

바돌프　왜 그러십니까, 나리?

145 **왕자**　이 편지를 랑카스터의 존 경, 나의 아우 존에게 전하여라. 그리고 이것은 웨스터멀랜드의 경에게 전달해라. (바돌프 퇴장) 피토, 말에

게 가라. 너와 나는 저녁 식사 전까지 말을 타고 30마일을 달려
야 한다. (피토 퇴장) 잭, 내일 템플 홀에서 오후 2시에 만나세. 거
기서 자네가 지휘할 연대를 알려주겠네. 그리고 부대 장비에 관
한 지령과 비용을 하사하겠네. 이 땅이 불타고 있다. 퍼시가 저 150
높이 서있다. 저들이 아니면 우리가 굴복해야 한다. (퇴장)

폴스타프 놀라운 언변이군! 용감한 세상! 주모, 아침을 주게, 어서! 아,
이 선술집이 내 집합장소라면 좋으련만!

퇴장.

4막

1장

슈르스베리. 반란군 진영.

핫스퍼, 우스터, 그리고 더글라스 등장.

핫스퍼 잘 하셨습니다, 고결하신 스코틀랜드 분! 이렇게 지나치게 정제된 시대에 진실을 말하는 것이 아첨으로 여겨지지 않는다면, 더글라스 군대는 이 시대가 만들어 낸 어떤 군인도 세상에서 그렇게 널리 받아들여질 수 없는 그러한 명예를 받으셔야 합니다. 주님께 맹세코, 나는 아첨을 할 수 없습니다. 나는 아첨꾼들의 혀를 거부합니다. 그러나 내 심장에서 당신보다 더 용감한 공간을 차지한 자는 아무도 없습니다. 아니, 경, 내 말을 시험해보세요.

더글라스 당신은 영광의 왕이로군요. 당신보다 강력한 자가 이 땅 위에 있다면 내가 반드시 그와 맞서 싸울 것입니다.

핫스퍼 그렇게 하세요, 좋습니다. *(전령 편지를 가지고 등장)* 무슨 편지를 가지고 왔느냐? —*(더글라스에게)* 말씀 감사합니다.

전령 이것은 나리의 아버님으로부터 온 것입니다.

핫스퍼 아버님으로부터 온 편지라고? 왜 그분은 직접 오시지 않은 거지?

전령 오실 수가 없습니다, 나리. 병환이 중하십니다.

핫스퍼 쳇, 이런 격돌하는 시기에 어떻게 아프실 여유가 있으신 거지? 누가 그의 병력을 이끌고 있느냐? 누구의 지휘 하에 병력이 움직이고 있는 것이냐?

전령 제가 아니라, 이 편지가 그분의 마음을 담고 있습니다, 나리.

핫스퍼 그럼 몸져누우셨다는 말이냐?

전령 그렇습니다, 나리. 제가 여기로 출발하기 4일 전부터요, 그리고
제가 거기를 떠나던 때에 의사들도 걱정이 여간 아니었습니다. 25

우스터 그분이 이렇게 병이 나시기 전에 현재의 상황이 먼저 호전되기를
바랐는데. 그분의 건강이 지금보다 더 중요한 적은 결코 없었어.

핫스퍼 지금 편찮으시다고? 지금 기력이 저하되셨다? 아버님의 병세는
우리의 계획의 생혈을 감염시키고, 심지어 여기, 우리 진영을 전 30
염시키고 있구나. 아버님은 여기에 병세에 대해서 자세히 쓰셨고,
아버님의 대리인에 의해서 그의 친구들이 곧 소집될 수 없다는
것과 또한 그 자신이외에 어떤 사람에게도 그토록 위험하고 중요 35
한 신뢰를 두는 것이 적절하지 않다고 쓰셨습니다. 그러나 운이
우리에게 어떻게 작용하는지를 보여주기 위해서 우리의 소수의
결합된 병력으로 출동을 해야 한다는 단호한 충고를 해주셨습니 40
다. 아버님께서 쓰신 것처럼, 왕이 확실히 우리의 모든 목적을 알
고 있기 때문에 이제 더 이상 움츠러들 수 없기 때문입니다. 어떻
게 생각하십니까?

우스터 자네 아버님의 병환은 우리에게 중상을 입은 것과 같네.

핫스퍼 심하게 깊이 팬 상처, 사지가 잘려나간 것과 같지요―그러나, 맹
세코, 그렇지 않습니다! 그분의 현재의 부재는 실제 그럴 것보다 45
더 악화되어 보일 뿐입니다. 모든 재산을 단 한 번의 주사위에 걸
어보는 것이 좋겠습니까? 그렇게 좋은 패를 불확실한 시간의 미 50

묘한 위험에 거는 것이 낫겠습니까? 바람직하지 않습니다, 왜냐
하면 거기에서 우리는 희망의 맨 밑바닥과 모든 운의 한계를 알
게 되기 때문입니다.

더글라스 그렇군요. 하지만 아직 앞으로 올 희망에 대담하게 사용할 수
있는 도움이 되는 지원이 있습니다. 우리가 의지해야 할 것이 아
직 있어요.

핫스퍼 악마와 불운이 우리의 거사의 시작에 위협이 되는 것처럼 보일지
라도 나는 출격을 할 것입니다.

우스터 하지만 아직도 나는 네 아버지가 여기 계시기를 바라네. 우리 일
의 성격상 어떤 분열도 허용치 않아. 그분이 왜 불참하셨는지를
모르는 사람들은 그분의 현명함이나 왕에 대한 충성심, 그리고
우리의 행동에 대한 혐오 때문이라고 생각할지도 모른다. 그리고
어떻게 그러한 생각이 공포를 불러일으키는 반역 동맹의 형세를
바꾸어, 우리 명분에 일종의 의심을 낳게 할지를 생각해보거라.
왜냐하면 공격하는 쪽인 우리는 엄격한 판단으로부터 방심하지
말아야 하고 이성의 눈이 우리를 엿볼지도 모르는 곳으로부터 오
는 모든 총구멍, 모든 보는 구멍을 막아야 하기 때문이다. 네 아
버님의 부재는 무지한 자들에게 전에 꿈꿔보지 않은 일종의 공포
를 보여주는 막을 열게 된 것과 같을 것이다.

핫스퍼 지나치게 과장하시는 것 같군요. 저는 오히려 아버님의 부재를
이렇게 이용할 것입니다. 백작님이 여기에 계신 것보다 우리의
이 거사에 영광과 더욱 커다란 특권, 보다 큰 명성을 가져다줄지
도 모릅니다. 우리가 그분의 도움 없이 왕권에 대항하여 맞서는

병력을 일으킬 수 있다면, 그의 도움을 받는 경우에는 왕권을 완전히 전복시킬 것이라 사람들은 틀림없이 생각할 것이기 때문입니다. 여전히 모든 것이 잘 진행되고 있고, 여전히 우리의 사지는 85 튼튼합니다.

더글라스 아마도 그렇게 바라는 것이기 때문인지, 스코틀랜드에서는 공포라는 뜻의 단어가 없습니다. (리처드 버논 경 등장)

핫스퍼 나의 동지 버논! 진심으로 환영합니다.

버논 경, 나의 소식이 환영을 받을 가치가 있기를 주님께 기도드립니다. 90 웨스트멀랜드 백작이 7천 명에 달하는 병사를 이끌고, 존 왕자와 함께 여기로 진격해오고 있습니다.

핫스퍼 그것은 상관없소, 또 다른 소식이 있습니까?

버논 네 더 있습니다. 왕이 직접 출격하거나 아니면 군장을 갖춘 군대 95 를 이끌고 발 빠르게 이곳으로 오려고 한다는 소식을 들었습니다.

핫스퍼 그 역시 환영입니다. 그의 아들, 민첩한 발을 가진 무모한 웨일즈의 왕자, 그리고 세상을 우습게 보는 그의 패거리들은 어디에 있 100 습니까?

버논 모두가 군장을 갖추고, 모두 무장을 하였습니다. 모두가 방금 물에서 나온 독수리처럼 퍼드덕거리는 날개를 갖고, 문장처럼 황금 105 빛 옷을 입고 반짝이면서, 5월의 달처럼 기운이 충만하고 한여름의 태양처럼 멋지게 타조처럼 깃털을 달았습니다. 어린 염소처럼 장난치고, 어린 황소처럼 난폭합니다. 어린 해리가 투구를 쓰고, 허벅지에 갑옷을 대고, 화려하게 무장해서 로마의 신들의 전령인 110 머큐리처럼 땅에서부터 올라오는 것을 보았고 그의 안장 위로 마치 천사가 화염에 싸인 페가수스를 돌려서 세상을 고상한 마술로 마법을 걸기 위해 구름으로부터 하강하듯이 그렇게 쉽게 올라앉는 것을 보았습니다.

핫스퍼 그만, 그만하십시오! 그런 칭찬은 3월의 태양보다 더 심하게 학질을 조성하는군요. 그들이 와보라고 하세요! 그들은 화려한 의복을 입은 산 제물처럼 불의 눈을 한 전쟁의 여신에게 오는 것입니다. 우리는 뜨거운 피를 그들에게 제공할 것입니다. 갑옷을 입은 전쟁의 신 마르스는 피에 홀딱 빠져 그의 제단 위에 앉게 될 것입니다. 이러한 엄청난 포상이 가까이 오고 있다는 소식을 들으니 절로 흥분이 되는군요, 그러나 아직 우리의 것은 아닙니다! 자, 웨일즈 왕자의 가슴에 대항하여 천둥처럼 나를 운반해줄 내 말을 탈 것입니다. 해리 대 해리, 뜨거운 말 대 말이 만나서 한 쪽이 시체가 되어 쓰러질 때까지 결코 멈추지 않을 것입니다. 아 글렌다워가 올 수만 있다면!

버논 소식이 있습니다. 제가 우스터 지역을 달릴 때 그가 14일 동안은 병력을 모을 수 없다는 이야기를 들었습니다.

더글라스 내가 들어본 것 중에 최악의 사태로군.

우스터 아, 틀림없이, 이것은 얼어붙는 듯한 소리를 내는구나.

핫스퍼 왕의 군대의 총 숫자는 얼마나 됩니까?

버논 3만입니다.

핫스퍼 4만이라도 되라지요. 아버지와 글렌다워 두 분이 다 계시지 않기 때문에 우리가 보유하고 있는 병력이 이렇게 위대한 날을 맞이해야겠지요. 자, 신속하게 점호를 합시다─운명의 날이 가까이 왔습니다. 모두 기쁘게 죽음을 맞이합시다.

더글라스 죽는다는 말은 하지 마세요. 난 이 반년 동안에는 죽음 또는 죽음의 손에 대한 공포에서 자유로우니까요.

모두 퇴장.

2장

코벤트리 근처의 큰길.

폴스타프와 바돌프 등장.

폴스타프 바돌프, 자네 코벤트리를 향해서 가라. 술 한 병을 채워놓도록
해라. 우리의 병사들은 코벤트리를 통과하고 오늘 밤 코드필드에
서 머물게 될 거야.

바돌프 대장님, 대금은 어떻게 할까요? 돈을 좀 주시지요?

폴스타프 지불해야지. 지불해

5 **바돌프** 술 한 병이면 천사가 새겨진 동전[6] 하나는 있어야 하는데요.

폴스타프 그렇다면, 수고비로 받아두게. ─만약 그것이 200실링이 되더
라도 다 받게. 화폐주조의 책임은 내가 질 테니까. 나의 부관 피
토에게 마을 끝에서 보자고 해라.

바돌프 그렇게 하겠습니다, 대장님. 안녕히 계십시오. (퇴장)

폴스타프 내 군사들을 수치스럽게 생각하지 않는다면 난 소금에 절여진
10 생선이다. 왕이 하사한 징집권을 엄청나게 오용했지. 150명의 군
인을 빼준 대가로 3백여 파운드를 받았으니 말이야. 부유한 가장,
소지주의 아들을 제외하고는 아무도 징집하지 않았고, 결혼예
고 식에서 두 번 질문을 받은 약혼한 총각, 사냥된 가금 또는

---

6. 마이클 대천사가 새겨진 금화로 6실링 8펜스와 10실링 사이의 가치가 있음.

다친 야생오리보다 더 심하게 머스킷 총을 무서워해서, 징집 드 ₁₅
럼 소리보다 악마의 소리를 듣는 게 낫다고 하는 놈들로 지갑이
두둑한 놈들과 담력이라곤 바늘대가리만큼도 없는 자들을 소집
했어. 그래서 이런 놈들은 모두 다 징집을 면제받기 위해 돈을 냈
지. 그래서 지금 내 부대에는 늙어서 깃발만 겨우 운반할 수 있는
기수, 병장, 중위, 하사도 모두, 저 대식가의 개가 라자러스의
상처를 핥는 성경 내용이 그려져 있는 값싼 벽걸이에 있는 라자
러스만큼 누더기 같은 놈들뿐이야. 또 다른 놈들로는 정말로 군 ₂₀
인이라곤 한 번도 본 적도 없는 자들도 있지. 부정직한 하인들,
차남 삼남의 차남, 삼남들, 주인에게서 도망친 술집 종업원과 일
거리가 없는 마부 그리고 태평시대의 기생충과 같은 놈들로 오래
되어 너덜너덜하게 된 깃발보다 열 배나 더 초라한 놈들뿐이다.
그래서 사람들은 병역을 돈을 주고 면제 받은 자들의 숫자들 채
우기 위해서 내가 쓰레기와 껍질을 먹고 사는 돼지치기 출신의 ₂₅
너절한 탕아를 150명 데리고 있다고 생각할 거야. 정신 나간 녀
석 하나를 여기로 오는 길에 만났는데 내가 교수대를 전부 끌어
내려서 거기에 매달려 있는 시체도 징집했다고 그러더군. 그런
허수아비 같은 놈들을 본 적이 없을 테니까 말이야. 저 놈들을 데
리고 벤트리로 행군하지 않을 거야. 그것은 확실하게 말할 수 있
어. 아니, 저 놈들은 마치 족쇄를 찬 듯 다리를 넓게 해서 어기적
어기적 걸어. 그도 그럴 것이 내가 그 놈들을 감옥에서 데리고 왔 ₃₀
거든. 부하 전체를 통해서 셔츠는 하나하고 반쪽이 있는 거나 마
찬가지야. 손수건 두 개를 붙여서 마치 하인의 소매 없는 조끼처

럼 어깨 위에 걸치게 한 게 다거든. 사실대로 말하면 그 중 한 장은 세인트 알반즈에서 술집 주인장이나 다벤트리의 빨간 코를 한 여관 주인에게서 훔친 거지. 하지만 어차피 매한가지야. 그들도 울타리에 말리기 위해서 걸어놓은 옷들을 훔칠 테니까 말야.

왕자와 웨스트멀랜드 경 등장.

왕자 풍선 같이 부풀어 오른 잭, 어쩐 일인가? 이불 보따리, 무슨 일이지?

35 **폴스타프** 와, 할! 어쩐 일이지, 미친 애송이? 도대체 월읙 지역에서 무얼 하나? 선하신 웨스트멀랜드 경, 용서해주십시오, 저는 백작님께서 이미 슈르스베리로 가셨다고 생각했죠.

웨스트멀랜드 그렇지, 존 경, 내가 거기에 도착할 시간보다 더 긴 시간이 지났지. 그리고 자네 역시도, 하지만 나의 병력은 이미 거기에 있네. 왕께서 우리 모두가 도착하기를 기다리고 계시니, 밤새 행군

40 을 해야겠네.

폴스타프 결코 저를 의심하지 마십시오. 전 크림을 훔치는 고양이만큼 용맹하니까요.

왕자 정말 크림을 훔친다고 생각해. 훔친 것이 무엇이든지 바로 자네의 기름기 흐르는 살이 되니까 말이야. 하지만, 잭 말해보게. 따라 오는 자들이 누구의 부하인가?

폴스타프 내 부하들이네, 할, 내 부하들.

45 **왕자** 저렇게 불쌍한 어중이떠중이는 본 적이 없어.

폴스타프 천만에 창에 찔리기에 좋은 재료감이지. 대포의 사료, 대포의 밥이야. 저들은 여느 사람들만큼 거대한 무덤을 채우게 될 걸세.

체, 인간, 죽을 운명의 인간, 죽을 수밖에 없는 인간들이지.

웨스트멀랜드 그렇지, 하지만, 존 경, 나는 그들의 복장상태가 너무도 초라하다고 생각하네. 너무 빈약해.

폴스타프 그렇죠. 그들의 빈곤에 대해서 나는 그들이 어디서 그것을 얻 ⁵⁰ 었는지 모릅니다. 그들의 빈약함에 대해서는 저는 그들이 저에게 그것을 배운 적이 없다는 것을 확실히 말씀드릴 수 있습니다.

왕자 만약 자네의 갈비뼈를 덮고 있는 세 손가락 깊이의 비계를 말하는 것이 아니라면 그렇지. 내가 믿네. 그러나 여봐, 서두르게. 퍼시가 이미 전장에 도착했어. (퇴장)

폴스타프 뭐라고요? 왕은 진출을 하셨나요?

웨스트멀랜드 그렇네, 존 경. 우리가 너무 늦게 될까 걱정이군. ([퇴장]) ⁵⁵

폴스타프 그런데, 전투의 끝과 축제의 시작이 싸움보다는 먹는 데 열중하는 자를 위해서 최적의 시기이지.

모두 퇴장.

3장

슈르스베리. 반란군의 진영.

핫스퍼, 우스터, 더글라스, 버논 등장.

핫스퍼 오늘 밤 왕과 결전합시다.

우스터 안 된다.

더글라스 적에게 이로움을 주자는 말씀을 하시는군요.

버논 그렇지 않습니다.

5 **핫스퍼** 왜 그렇게 말씀하시는 겁니까? 왕이 원군을 기다리고 있지 않나요?

버논 우리도 마찬가지입니다.

핫스퍼 적의 것은 확실하고, 우리의 것은 미심적은 상황입니다.

우스터 애야, 충고를 듣고 오늘 밤 움직이지 않도록 하자.

버논 그렇게 하도록 하지요.

더글라스 여러분은 제대로 충언을 하지 않으시는군요. 공포와 겁에 질려
10   제대로 충언을 못하고 있군요.

버논 나를 비방하지 마세요, 더글라스. 맹세코, 나는 내 목숨을 걸고
      저의 충언을 입증할 것입니다. 심사숙고된 명령에 의한 것이라면
15   어떤 두려움도 없습니다. 그러한 점은 당신, 또는 현재 살고 있는
      어떤 스코틀랜드인에게도 뒤지지 않을 자신이 있습니다. 우리 중
      에 누가 더 두려움이 있는지 내일 전투에서 확인해봅시다.

더글라스 그러지요. 아니면 오늘 밤에요.

버논 좋습니다.   20

핫스퍼 오늘 밤이라고 제가 말씀드렸습니다.

버논 자, 자, 아닐지도 모르죠. 당신과 같이 훌륭한 지도력을 가지신
분이 우리의 출정을 막고 있는 것이 무엇인지를 내다볼 수 없는
것이 너무도 의아합니다. 나의 사촌 버논의 기병대가 아직 도착   25
하지 않았고 당신 숙부인 우스터의 말들은 단지 오늘에서야 도달
하였습니다. 그래서 그들의 사기와 기개는 지금 잠들어 있고 그
들의 용기는 고된 노동으로 무기력하고 둔해져 있어서, 어떤 말
도 보통의 힘의 반에 반도 발휘를 하지 못합니다.   30

핫스퍼 그 점은 적의 말들도 마찬가지입니다. 대부분 긴 여정으로 지쳐
있습니다. 오히려 우리 말의 대부분은 충분한 휴식을 취했습니다.

우스터 하지만 왕의 군대는 수적으로 우리보다 우세하다. 그러니 조카야,
제발 모두가 올 때까지 기다리도록 하자.   35

　　　　　　화평교섭의 나팔소리 들린다. 월터 블런트 경 등장.

블런트 여러분들이 청취와 존경을 허락한다면 왕의 은혜로우신 제안을
알려드리도록 하겠습니다.

핫스퍼 어서 오세요, 월터 블런트 경. 당신이 우리 편이어야 하셨는데요.   40
우리 중에 당신을 경애하는 분들이 있습니다. 그리고 그 분들이
당신이 우리 편이 아니고 적으로서 우리와 맞서고 있기 때문에
당신의 위대한 성과와 명성을 시기하고 있습니다.

블런트 주님의 가호가 있으시기를! 하지만 여러분들이 자연의 질서와 충

절의 의무를 넘어 적법한 왕에 맞서고 있는 한 나는 여전히 이렇
게 맞설 것입니다. 나의 임무를 수행하겠습니다. 왕께서는 당신
들의 불만의 본질을 알고자 하시고 어떤 근거에서 충절의 나라에
대담무쌍한 잔인함을 가르치면서, 공민으로서의 평화의 가슴으로
부터 그렇게 대담한 적대심을 불러일으키는지를 알고자 보내셨
습니다. 폐하 자신도 인정하고 계시는 당신들의 많은 공로가 잊
혔다고 생각한다면 여러분의 불만을 말씀해보세요. 그러면 최대
한 신속하게 당신들이 원하는 것을 최대한 보상할 것이고 당신들
과 당신들의 선동으로 인해 잘못 인도된 자들도 용서하시겠다고
하셨습니다.

핫스퍼 참 친절한 왕이시군요. 우리는 왕이 약속할 때와 지불할 때를
알고 있다는 것을 잘 알고 있습니다. 나의 아버지, 그리고 나의
숙부, 그리고 내가, 왕에게 지금 쓰고 있는 왕관을 드렸고, 그가
20명의 추종자도 없고, 세상에 좋지 않은 평판으로 고통 받고, 비
참하고 천하게 되어서, 비참한 추방인으로 몰래 법을 어기고 이
땅으로 숨어들 때, 나의 아버지가 해안에서 그를 맞이하였습니다.
그리고 그가 몰수당한 땅을 회수 받고 리처드 왕과 화해를 하기
위해서 단지 랑카스터의 공작으로 왔노라고 말하고, 순진한 눈물
과 충성에 대한 열렬한 확신으로 맹세하는 것을 들었을 때, 친절
한 성품을 가지신 아버지는 연민에 의해서 그에게 원조를 약속하
고 그것을 또한 수행하셨습니다. 하지만 그 지역에 있는 중신들
과 남작들이 노섬벌랜드가 왕을 지지하고 있다는 것을 감지하고,
높고 낮은 사회적 지위를 가진 사람들이 그에게 충성을 맹세하

며, 대로·도시·마을에서 그를 만나고, 다리 위에서 그를 기다리고, 통로에 서 있고, 그 앞에 선물을 내놓고, 그에게 맹세를 바치고, 자신의 장자를 시종으로 바치겠다고 하고, 엄청난 무리로 그의 뒤를 줄줄 따라다니게 되었소. 그가 이렇게 힘을 맛보았을 때, 그는 레이븐스퍼에 있는 헐벗은 해안가에서 그가 초라할 때 나의 아버지에게 한 맹세보다 더욱 야심적으로 변하였고, 이제 이 공화국 위에 너무 무겁게 놓여 있던 확실한 칙령과 가혹한 법령을 개혁하기에 이르렀습니다. 마치 부패를 경멸하고, 이 나라의 잘못에 대해 슬퍼하는 것처럼 보였습니다. 그렇게 해서 겉보기에만 정의의 눈썹을 한 그 얼굴로 모든 이들의 마음을 얻었습니다. 그리고 더 나아가 리처드 왕이 몸소 아일랜드 전쟁에 참전했을 때 부재한 왕이 그를 대신하여 이곳에 남겨둔 신하들의 목을 베어버리기에 이르렀지요.

블런트 난 이런 이야기를 들으러 온 것이 아닙니다.

핫스퍼 그럼 요점을 말하겠소. 그가 왕을 폐위시키고 난 뒤 얼마 있지 않아 그의 목숨마저 박탈하였지요. 그 직후에는 나라 전체에서 세금을 징수하고 설상가상으로 그의 친지인 마치가 웨일즈에 인질로 붙잡히게 되었을 때, 보석금도 없이 방치해두었어요. 만약 적합한 절차가 이루어졌다면 왕이 되었을 분을요. 게다가 행운의 승리를 성취한 나를 치욕스럽게 하고, 염탐꾼의 덫에 걸리도록 꾀하였고, 나의 숙부를 의회에서 격정으로 나무라고 분노로 나의 아버지를 의회에서 해임을 하였어요. 이렇게 해서 맹세에 대한 맹세를 깨고, 잘못 위에 또 잘못을 저질렀소. 그래서 결과적으로

나는 정당방위와 같은 반응으로 군대를 모색하게 되었고, 더 나

110   아가 왕위 계승의 정당성에 문제가 있다는 것을 알게 되어 그의

왕좌에 대해 이의를 제기하기에 이르게 된 것이오.

블런트 이 말을 왕에게 전할까요?

핫스퍼 그렇게는 아닙니다, 월터 경. 우리는 잠시 동안 철수할 것이오.

115   왕에게 가 다시 안전한 귀환에 대한 보증을 서약하게 하시오 그

리고 아침 일찍 나의 숙부가 우리의 목적을 그에게 전달할 것이

오ㅡ그러니 안녕히 가시오.

120   **블런트** 당신이 폐하의 너그러운 제안을 수락하기를 바라오.

핫스퍼 글쎄요. 그렇게 될지도 모르지요.

블런트 주님께 기도하겠소.

모두 퇴장.

4장

요크. 대주교의 관저.

요크 대주교와 마이클 경 등장.

대주교 어서 가세요, 마이클 경. 이 봉인된 편지를 날개 돋친 서두름으로
사령관에게 전달하시오. 이것은 나의 사촌 스크루프에게 그리고
나머지 모두는 이름이 적혀 있는 분들에게 전해주세요. 만약 그
것들이 얼마나 중요한 내용을 담고 있는지를 안다면, 서두를 수
밖에 없을 겁니다.   5

마이클 경 대주교님, 내용을 추측할 만하군요.

대주교 충분히 그러실 것입니다. 선한 마이클 경, 내일이 만 명의 군사들
의 운명이 시험에 놓이는 날입니다. 슈르스베리에서, 강력하고
신속하게 소집된 병력을 가진 왕이 퍼시 경과 대립하는 날이기   10
때문입니다. 마이클 경, 한편으로는 가장 큰 병력을 가지셨던 노
섬벌랜드 경의 병환 때문에 그리고 또 한편으로는 강력한 지지
세력으로 여겨지던 오언 글렌다워의 부재 때문에 저는 두렵습니
다. 그는 이 거사에 대한 상서롭지 못한 예언으로 참석하지 않았   15
습니다. 퍼시의 병력이 너무 약해서 왕과의 즉각적인 힘겨루기를
행할 수 없을까 걱정이 됩니다.   20

마이클 경 대주교님, 걱정하실 필요 없습니다. 더글라스와 모티머 경이

있습니다.

대주교 아닙니다. 모티머는 거기 없습니다.

25 **마이클 경** 그러나 모데이크, 버논, 해리 퍼시 경이 있고 친애하는 우스터
백작, 그리고 용감한 병사들과, 고상한 귀족 분들로 이루어진 군
대가 있습니다.

대주교 그렇지요. 하지만 왕은 나라 전체에서 이례적으로 군사 지도부를
모두 소집하였습니다. 웨일즈 왕자, 랑카스타의 존 경, 고상한 웨
30 스트멀랜드, 호전적인 블런트 그리고 군대에서 가치 있고 통솔력
이 있는 더 많은 협력자들과 고위층을 말입니다.

마이클 경 대주교님, 그들과 맞서 잘 대적할 것이라는 것을 의심하지 마
십시오.

대주교 그렇게 되기를 희망하고 있어요. 허나 두려워 할 필요는 있습니
35 다. 그리고 최악의 경우를 막기 위해서, 마이클 경, 서두르세요.
만약 해리 경이 성공하지 못한다면, 왕이 우리의 공모를 알기 때
문에, 그가 군대를 해산시키기 전에 우리를 공격할 것이기 때문
입니다. 그것에 대항하여 우리의 방어를 강화하는 것이 유일한
40 지혜입니다. 그러므로 서두르세요 - 나는 가서 다른 동지들에게
편지를 써야 해요. 안녕히 가시오, 마이클 경.

모두 퇴장.

5막

1장

슈르스베리. 왕의 진영.

왕, 웨일즈 왕자, 랑카스터의 존 경, 월터 블런트 경, 폴스타프 등장.

왕   태양이 저기 수풀로 덮인 언덕 위로 핏빛으로 보이기 시작하는
구나! 아침이 이렇게 창백해 보이는 것은 태양이 병들었기 때문
이다.

왕자   남쪽 바람은 태양의 목적에 따라 나팔수의 역할을 하고 있고 나
뭇잎들의 윙윙거리는 소리는 폭풍이 일고 거친 바람이 부는 날을
예언하는 것 같습니다.

왕   그러면 그 날에는 패배자들을 동정하도록 해라. 승리한 자에게는
어떤 날씨도 우울하게 보이지 않는 법이니까. (나팔소리 들린다.) (우스
터[와 버논] 등장) 어쩐 일이시오, 우스터 경! 이런 관계로 당신과 내
가 만나야 하다니 유감스럽군요. 경은 나의 신뢰를 저버렸습니다.
그래서 짐은 편안한 평화의 의복을 벗고 이 늙은 몸에 강철 갑옷을
입혀 불편함을 참고 있는 것이오. 참으로 유감스러운 일이요. 유감
스러워요. 경, 대체 어떻게 할 생각입니까? 경은 이 모든 혐오스러
운 전쟁의 무례한 매듭을 다시 풀고, 저 복종의 궤도로 다시 들어
올 수는 없는 건가요? 그럴 때 경은 아름답고 자연스러운 빛을 내
고 있었소. 그러니 더 이상 재앙의 전조가 되는 유성과 같은 존재

가 되지 말아주세요.　　　　　　　　　　　　　　　　　　　　　20

우스터 폐하, 제 말씀을 들어보십시오. 저로서는 제 남은 인생을 조용하
　　　게 보내는 것에 만족할 수도 있었습니다. 저는 이 혼란의 날을 결
　　　코 추구한 적이 없으니까요.　　　　　　　　　　　　　　　　25

왕　추구한 적이 없다고? 그러면 어떻게 해서 이렇게 된 것이오?

폴스타프 반란이 길거리에 놓여있었고, 저 분이 그것을 주운 거지요.

왕자 조용히 해, 수다쟁이, 조용히!　　　　　　　　　　　　　　　30

우스터 폐하께서는 저 자신과 저의 모든 일가로부터 폐하의 호의적인 태
　　　도를 기꺼이 거두셨습니다. 하지만 생각해보십시오. 저희는 본래
　　　폐하의 소중한 지지자들이었습니다. 저는 폐하를 위하여 리처드 35
　　　왕의 시절에 왕족의 가령(家令)이라는 저의 직책을 버리고, 밤과
　　　낮을 달려 폐하에게 달려가 그 손에 키스하였습니다. 그때 폐하는
　　　지위와 명성 중 어느 면에서도 저보다 낫지 않으셨습니다. 그런데
　　　폐하를 이 나라에 맞이하고, 시대의 위험에 대담하게 도전한 것은 40
　　　저와, 저의 형님 그리고 그분의 아들이었습니다. 폐하는 우리에게
　　　다짐을 하셨죠. 돈카스터에서 하신 서약인데, 폐하는 왕국을 위협
　　　할 어떤 의도도 가지고 있지 않고, 당신에게 최근에 상속받은 랑
　　　카스터의 공작이라는 선친 곤트의 상속권만 보장되면 된다고요 45
　　　그리고 다른 요구는 없다고 맹세를 하셨습니다. 이 맹세에 저희는
　　　지원을 약속하였던 것입니다. 그러나 얼마 지나지 않아, 한편으로 50
　　　는 우리의 도움 때문에, 한편으로 부재한 왕 때문에, 또 한편으로
　　　는 제대로 통치되지 않은 시대의 비행, 당신이 당한 그 명백한 잘
　　　못된 처사, 그리고 리처드 왕을 그에게 불운이었던 아일랜드 전쟁

에 너무 오랫동안 붙잡아놓아서 영국에 있는 모든 이들이 그가 죽었다고 믿게 한 그 역풍 때문에 폐하의 머리 위로 소나기 같은 운이 내렸고 엄청난 위대함의 홍수가 당신에게 떨어졌습니다. 그래서 이러한 일련의 호재로, 당신은 모든 권력을 당신의 손에 단단히 쥘 수 있는 기회를 재빠르게 잡고, 돈카스타에서 우리에게 한 당신의 맹세를 잊으셨습니다. 그리고 우리의 도움으로 먹이를 먹으면서도, 당신은 비열한 어린 새 뻐꾸기가 참새를 이용하듯이 우리를 이용하였습니다―우리의 둥지를 차지하고, 우리가 주는 먹이를 먹으면서 너무나 큰 덩치로 자라서, 폐하를 사랑하는 저희들은 삼켜질까 감히 곁에 접근할 수가 없게 된 것입니다. 그래서 우리는 안전을 위하여 민첩한 날개로 당신의 시야 밖으로 날아서 이번 같은 병력을 일으킬 수밖에 없었던 것입니다. 지금 이렇게 폐하와 대치하고 있지만, 그 원인은 폐하께서 하신 저희 가문에 대한 부당한 처사와 냉대 그리고 폐하께서 우리에게 맹세한 모든 서약의 위반들 때문입니다.

왕 정말로 당신들은 당신이 말한 것들을 저잣거리에 내다 붙이고 교회에서 읽어서 혼란스러운 개혁의 소식에 하품을 하거나 팔짱을 끼는 변덕스러운 변절자와 궁상맞은 불평가의 눈을 즐겁게 해줄 만한 화려한 색깔로 반역이라는 의복을 장식하였소. 하지만 반역이란 자고로 나름의 명분을 위해 채색하는 물감이 결핍되어본 적이 없고, 혼돈의 시기에 굶주린 변덕스러운 거지들이 부족한 적이 없었지요.

왕자 만약 전투를 벌이면 두 분 모두의 군대에 이 교전에 대한 대가를

치러야 할 많은 영혼들이 있습니다. 당신 조카에게 전하세요. 웨 ₈₅
일즈 왕자가 모든 세상 사람과 함께 헨리 퍼시의 칭찬에 합류했다
고요. 이 현재의 모험이 그를 나쁘게 평가하지 않기를 바랍니다.
나는 그보다 더 용감하고, 더욱 활동적이면서 용맹하거나 더욱 용 ₉₀
감하면서 젊고, 더욱 대담하거나 더욱 당찬 신사가 이 시대를 고
상한 행위로 아름답게 꾸미기 위해서 지금 살아있다고 생각하지
않습니다. 나로서는, 제가 기사도 정신에 태만자였다는 것을 수치
감으로 말합니다. 그리고 그가 나를 그렇게 평가하는 것을 또한 들 ₉₅
었습니다. 그러나 저는 나의 아버지이신 폐하 앞에서 이것을 말씀
드립니다ㅡ나는 그가 그의 위대한 이름과 명성의 이익을 취하는
것에 만족합니다. 그리고 양쪽 진영에서 피 흘리는 것을 줄이기
위해서, 그와 단독 결투로 저의 운을 시험하고자 합니다. ₁₀₀

왕 웨일즈 왕자, 그것을 막고 싶은 이유야 많지만 짐은 왕자의 모험
을 허락하겠네. 헌데 선한 우스터, 짐은 짐의 백성들을 사랑하오.
심지어 당신 조카 편으로 잘못 인도된 자들조차 사랑합니다. 그 ₁₀₅
래서 그들이 짐의 제안을 받아들여서 그와 그들, 그리고 당신, 그
렇습니다, 모든 사람들이 다시 나의 친구가 될 것이고 난 그들의
친구가 되기를 원합니다. 그러니, 당신 조카에게 말하시고 그가 어
떻게 할 것인지를 나에게 말해주시오. 하지만 만약 그가 굴복하 ₁₁₀
지 않으면 수치와 엄청난 벌이 내 명령에 의해 행해지게 될 것입
니다. 그러니, 가시오. 짐은 지금 그 쪽의 대답 여하에 상관하지
않겠소. 나는 합당한 조건을 제안했습니다. 그것을 신중하게 고
려하세요. ₁₁₅

우스터[와 버논] 퇴장.

왕자　제안은 받아들여지지 않을 것입니다, 분명히. 더글라스와 핫스퍼 군대가 모두 함께 무장하고 세상에 대항하여 자신만만해 하고 있습니다.

왕　그러므로 각 지휘관들은 각자의 부대로 가주시오. 그들의 답변 여하에 따라 공격을 시작하여야 합니다. 우리의 명분이 정당하기 때문에 주님이 우리의 편이 되실 것이다.

왕자와 폴스타프를 제외하고 모두 퇴장.

폴스타프　할, 만약 네가 전투에서 쓰러진 나를 보고, 나를 가로막아주면, 이렇게 말이야, 그것은 우정의 표시이지.

왕자　거인을 제외하고는 어느 누구도 자네에게 우정을 표시할 수 없을 걸. 기도문을 외우게. 그러면 잘 있게.

폴스타프　잠잘 시간이면 좋을 텐데. 할 그러면 모든 게 괜찮을 거야.

왕자　어쨌든, 자네는 죽음 하나를 주님께 빚졌어. (퇴장)

폴스타프　아직 그럴 때는 안 되었어, 되기 전에 주님께 빚을 갚는 것은 싫어―나를 부르지도 않는 그와 그렇게 억지로 있을 필요가 어디 있어? 글쎄, 그건 상관없어. 명예가 나를 격려할 거야. 그래, 하지만 내가 돌진할 때 명예 때문에 내가 죽으면 어떻게 하지? 그러면 어떡하지? 명예가 부러진 다리를 고쳐줄 수 있을까? 아니야. 또 팔을 고쳐줄까? 아니지. 아니면 상처의 고통을 없애줄까? 아니야. 그러면 명예는 외과에서는 아무런 기술도 없는 건가? 그래 없어.

명예란 무엇인가? 한 단어이지. 명예란 그 단어가 가지고 있는 게 뭐지? 그 명예라는 것이 뭐야? 공기지. 좋은 평가! 누가 그것을 가졌지? 어느 수요일에 돌아가신 분. 그가 그것을 느꼈을까? 아닐 거야. 그가 그것을 들었을까? 아니야. 그러면 이것은 감각을 가진 x 자에 의해서 느껴질 수 없는 것인가? 그래, 죽은 자들에게만 가능할 거야. 그러나 그것이 살아있는 사람들과는 공존할 수 없을까? 없지. 왜? 비방이 그것을 참지 못할 거야. 그러므로 나는 그것의 어떤 것도 갖지 않을 거야. 명예는 단지 장례식에 사용하는 문장일 뿐이다. ─그리고 나의 교리문답은 이렇게 끝이 난다.

퇴장.

y

2장

슈르스베리. 반란군 진영.

우스터와 리처드 버논 경 등장.

우스터 아, 안 됩니다, 리처드 경, 나의 조카에게 왕의 관대한 제안을 말
해서는 안 됩니다.

버논 그도 알아야 하지 않을까요.

우스터 그러면 우리는 파멸합니다. 우리를 사랑한다는 왕의 말을 지키는
것은 가능하지 않습니다. 가능할 리 없습니다. 왕은 우리를 항상
5 　 의심할 것이고 이번 잘못을 응징할 때를 다른 곳에서 찾을 것입
니다. 우리의 모든 행동 하나하나가 항상 억측될 것입니다. 반역
은 아무리 길들여진 것처럼 보이고, 아무리 신중하게 감금된 것
같아도 그의 조상의 야생적 기질을 갖게 되는 여우와 같다고 여겨
10 　 질 뿐이기 때문입니다. 슬프거나 즐거워 보인다고 하더라도 우리
의 모습을 오해할 것이고, 더 잘 살찌워지게 되면 더 죽음에 가까
이 이르게 되는 마구간의 황소처럼 우리는 사육될 것입니다. 내
조카의 잘못은 쉽게 잊힐지도 모릅니다. 젊음이라는 핑계와 피의
15 　 열기, 그를 경솔하도록 특권을 준 그의 별명, 난폭한 나쁜 기질에
의해 좌우되는 무모한 성급한 성격을 가지고 있으니까요. 하지만
20 　 그의 죄는 내게 그리고 그의 아버지에게 비난으로 오게 될 것입
니다. 우리가 그를 이끌었고 그의 부패가 우리로부터 야기되었기

때문에, 모든 것의 원천이 되는 우리가 모든 대가를 치러야 할 것입니다. 그러므로 선한 동지, 어떤 경우에도 해리가 왕의 제안을 25 알지 못하도록 하세요.

버논 무슨 말씀을 하시더라도 저는 동의할 것입니다. 여기 당신의 조카가 오는군요.

핫스퍼[와 더글라스] 등장.

핫스퍼 나의 숙부님이 돌아오셨군요. 그럼 웨스트멀랜드 경을 풀어주거 30 라. 숙부님, 무슨 소식이라도?

우스터 왕이 자네에게 곧 전투를 선고할 것이네.

더글라스 웨스트멀랜드 경을 통하여 우리의 도전적인 반응을 전달합시다.

핫스퍼 더글라스 경, 가서 그에게 그렇게 전하세요.

더글라스 맹세코, 그러겠습니다, 기꺼이 그러지요. (퇴장) 35

우스터 왕에게서는 어떤 자비도 없었다.

핫스퍼 간청을 해보셨나요? 맙소사!

우스터 난 그에게 그가 서약을 깬 것에 대해 말했을 뿐이다. 그런데 왕은 서약을 깨지 않았다고 변명하더구나. 서약을 깬 일이 없다고 단언하면서 우리를 반란자, 배반자라고 부르고 병력으로 우리를 응 40 징하겠다고 했다.

더글라스 [다시] 등장.

더글라스 무장하십시오. 여러분, 갑옷을 입으세요! 내가 헨리 왕의 면전

에 용감한 도전장을 던졌고, 인질로 잡혀 있던 웨스트멀랜드가 그

것을 받아가지고 돌아갔으니, 왕은 곧 공격해올 것입니다.

우스터 얘야, 웨일즈 왕자가 왕 앞으로 걸어 나와서 너와 단독 결투를 신

청하였다.

핫스퍼 만약 이 전투가 단지 우리 둘만의 싸움이었다면, 전쟁의 승패는

50 나와 해리 사이에서 판가름되고 다른 사람은 숨이 차게 될 필요

가 없었을 텐데! 말씀해주십시오, 저에게 말씀해주세요. 그의 도

전의 말투는 어떠했습니까? 경멸적이었습니까?

버논 아닙니다. 형제끼리 연습 삼아 무술시합을 하는 게 아니라면 나

55 는 내 삶에서 도전이 그보다 더욱 겸손하게 제안되는 것을 들어

본 적이 없습니다. 그는 당신에게 할 수 있는 모든 예를 다하였습

니다. 당신에 대한 칭찬을 왕자다운 말로 장식하고 당신에게 부

여되는 자신의 칭찬을 경멸함으로써 당신을 그의 칭찬보다 더 높

게 만들면서 당신의 성과를 한 연대기처럼 말하였습니다. 그것은

60 그를 참으로 왕자답게 하였습니다. 그는 자기 자신에 대해서는

아주 겸손한 평가를 하고 그의 게으른 젊음을 마치 그가 가르치

고 동시에 배우는 이중의 역할을 정복한 것과 같은 그러한 우아

함으로 꾸짖었습니다. 그는 그렇게 말을 맺었습니다. 하지만 내

65 가 세상 사람들에게 말할 수 있는데요―만약 그가 오늘의 이 불

운을 넘길 수 있다면, 이 나라는 밝은 희망을 갖게 될 것입니다.

70 지금은 그의 방종한 행동으로 오해받고 있지만요.

핫스퍼 동지, 당신은 그의 어리석은 행동들에 반한 것 같군요. 나는 결코

그렇게 많이 난폭한 행동을 탐닉한 왕자에 대해서 들어본 적이

없습니다. 그러나 그가 어떻다 할지라도, 오늘 밤이 되기 전에 이
군인의 팔로 그를 껴안을 것이고 그러면 그는 나의 강한 예의에 75
의해 압도될 것입니다. 무장을 하세요, 신속하게 무장을! 그리고
동료들, 군사들, 친구들이여, 여러분의 임무를 완수해주기 바랍니
다. 나는 말재주가 없어서 더 이상 어떻게 여러분의 사기를 높일 80
수 있는지 모르겠습니다. (전령 등장)

전령 나리, 여기 편지가 있습니다.

핫스퍼 지금 읽을 수 없다. 아 여러분, 우리 삶은 짧습니다! 삶이 시계의
바늘을 타고 한 시간 되는 곳에서 끝이 난다 하더라도 짧은 시간 85
을 천하게 소모하면 그것은 너무도 길게 됩니다. 그래서 만약 우
리가 살면, 왕의 군사들을 짓밟고 살고, 만약 죽는다면, 왕자들이
우리와 함께 죽을 때, 영광스러운 죽음이 될 것입니다. 90

전령 (또 다른 전령 등장) 나리, 무장하십시오. 왕이 진격해 오고 있습니다.

핫스퍼 나의 이야기를 그만두게 해준 그에게 감사해야겠군. 내가 연설을
잘하는 사람이 아니니까. 다만 이것을 말합니다. ─각자 최선을
다하라. 나는 여기서 이 위험한 모험에서 내가 만나는 최고의 적 95
과 맞서서 그자의 피로 이 칼을 더럽히기 위해 칼을 뽑는다. 이
제, 희망이여! 퍼시에게로! 그리고 출동하자, 모든 전쟁의 고매한
악기를 울려라 그리고 이 음악에 맞추어서 우리 모두 함께 포옹
을 하자. 이러한 예식의 소리를 두 번 다시 듣지 못할 자가 우리 100
들 중에 있을 것이기 때문이다.

　여기에서 그들은 포옹하고, 트럼펫 소리 들린다 [모두 퇴장.]

3장

슈르스베리. 전장.

왕 그의 병력과 등장. 전투장으로의 소집소리.
그런 다음 더글라스와 [왕으로 변장한] 월터 블런트 경 등장.

블런트 전쟁터에서 이렇게 나를 가로막고 있는 너의 이름은 무엇이냐?
내 머리를 가지고 무슨 영광을 얻고자 하는 것이냐?

더글라스 그러면 나의 이름이 더글라스라는 것을 알아두어라. 나는 사
5   람들이 네가 왕이라고 말했기 때문에 전장에서 이렇게 너를 쫓
아왔다.

블런트 사람들이 너에게 진실을 말하였구나.

더글라스 스테포드 경은 너, 헨리 왕을 대신하기 위해서 네 모습을 오늘
엄청난 대가로 샀고, 이 칼이 그를 끝내버렸다. 만약 네가 나의
10   포로로 굴복하지 않는다면 이 칼이 너에게도 그렇게 할 것이다.

블런트 너 오만한 스코틀랜드 인, 나는 굴복자로 태어나지 않았다. 너는
스테포드 경의 죽음을 복수하는 왕을 발견할 것이다.

결투한다. 더글라스, 블런트를 죽인다. 그런 다음 핫스퍼 등장.

15 **핫스퍼** 오 더글라스, 당신은 흘메돈에서도 이렇게 싸웠지요. 나는 한 명
의 스코틀랜드 인을 결코 이길 수가 없군요.

더글라스 모든 것이 끝났습니다. 모두 승리했어요. 왕이 여기에 숨이 멎어 누워 있습니다.

핫스퍼 어디 말입니까?

더글라스 여깁니다.

핫스퍼 여기 말입니까, 더글라스? 아닙니다, 내가 이 얼굴을 지극히 잘 20
알고 있어요. 그는 용감한 기사이고 그의 이름은 블런트인데 왕처럼 옷을 입고 무장을 했군요.

더글라스 어디로 가든, 바보가 너의 영혼과 함께 가라! 너는 빌린 칭호를 매우 비싼 대가를 치르고 샀구나. 왜 네가 왕이라고 말한 거지?

핫스퍼 왕처럼 갑옷을 입고 변장한 자들이 많이 있습니다. 25

더글라스 이제, 내 칼에 맹세코, 그의 갑옷을 입은 자는 모두 죽일 것이다. 나는 왕을 만날 때까지 모든 그의 의복을, 조각조각 살해할 것이다.

핫스퍼 위쪽으로 갑시다! 우리 군사들이 전투에서 승리한 것 같군요.

모두 퇴장.
비상 신호. 폴스타프 혼자 등장.

폴스타프 런던에서는 마시고 총알처럼 달아날 수 있었지만, 여기서는 총 30
알이 무서워. 여기에서는 총알이 머리통으로만 날아다니니 말야.
쉿! 너는 누구냐? 월터 블런트 경!―당신에게 명예가 있기를! 어떤 허영도 없기를! 난 녹은 탄알처럼 뜨겁고 또한 무거워. 주님께서 탄알을 막아주시기를. 나는 내 창자보다 더 많은 무게가 필요하지 않으니까. 내 누더기 군사 일행을 그들이 총에 맞아 죽을 곳 35

으로 인도했다. 150명 중에 세 사람도 살아남지 못했고 그들도 거지들이 모이는 도시의 외곽으로 가버렸어. 평생 동안 구걸을 하기 위해서 말이야. 그런데 여기 있는 건 누구지?

40 **왕자** 뭐야, 여기서 빈둥빈둥 서 있잖아? 자네 칼을 빌려주게. 많은 고귀한 분들이 자만하는 적들의 군홧발 아래 경직되어 누워 있는데, 그들의 죽음에 대한 복수가 아직 이루어지지 않았어. 제발 나에게 자네의 칼을 빌려주게.

45 **폴스타프** 오 할, 나에게 잠시 숨을 돌릴 여유를 주게—폭력으로 명성이 자자한 그레고리 교황도 내가 오늘 한 것과 같은 활약은 결코 하지 못했을 거네. 내가 퍼시를 죽였어. 내가 그를 확실하게 해주었지.

왕자 그는 참으로 아무 일이 없지. 살아있으니까. 이제 자네를 죽이려고 올 거야. 자네 칼을 빌려주게.

폴스타프 아니야, 주님 앞에서. 할, 만약 퍼시가 살아있다면 칼을 빌려줄
50 수 없지. 그러나 원한다면 이 권총은 빌려주겠네.

왕자 그걸 나에게 주게. 뭐야, 권총이 안에 있는 건가?

폴스타프 야아, 할, 이거 뜨겁네, 뜨거워. 도시 하나를 파괴할 것이 들어있지.

왕자 케이스에서 빼내려다 그것이 술병이라는 것을 발견한다.

55 **왕자** 정말이지, 지금이 농담하면서 시간을 낭비할 때인가?

술병을 폴스타프에게 던진다. 퇴장.

폴스타프 퍼시가 살아있다고. 내가 구멍을 내주겠다. 내 쪽으로 오면, 이렇게. 만약 오지 않으면, 내가 갈 필요는 없지. 나를 자르고 구워서 고기 요리로 만들게 뻔하니까 말이야. 나는 월터 경처럼 이를 드러내고 웃고 있는 명예는 좋아하지 않아. 목숨만 구할 수 있으면 되는 거지. 만약 그렇지 못하다면, 뜻하지 않게 명예가 오고, 인생도 끝이 나겠지. 60

퇴장.

4장

비상 신호. 무대를 가로지르는 전투의 폭발소리. 왕, 왕자,
랑카스터의 존 경, 웨스트멀랜드 백작 등장.

왕   해리, 제발 후퇴하여라. 출혈이 너무 심하구나. 랑카스터의 존, 너
도 함께 가거라.

랑카스터 아닙니다, 폐하. 저는 상처도 입지 않았습니다.

5 **왕자**   폐하, 간청드립니다. 전진하십시오. 폐하께서 후퇴하시면 우리 동
지들이 혼란을 일으키게 될 것입니다.

왕   그렇게 하겠다. 웨스트멀랜드 경, 왕자를 천막으로 데려가세요.

웨스트멀랜드 오십시오, 왕자님, 제가 천막으로 안내하겠습니다.

왕자   안내하시겠다고요, 백작님? 그러실 필요 없으십니다. 가벼운 찰
10   과상으로 이 전장에서 웨일즈의 왕자가 어떻게 비켜설 수 있겠습
니까. 피투성이 된 귀족들의 시체가 짓밟혀 있고, 반란자의 무력
이 대학살에서 성공을 하고 있는데 말입니다.

랑카스터 너무 오래 쉬었습니다. 자 웨스트멀랜드 경, 우리가 할 의무는
15   이쪽에 있는 것 같군요. 자, 갑시다.

랑카스터와 웨스트멀랜드 퇴장.

왕자   전혀 모르고 있었구나. 랑카스터, 네가 이렇게 패기가 넘치는 전
사라는 것을. 여태까지 너를 아우로 사랑했었다, 그러나 지금 부

터는 너를 나의 영혼으로서 존경한다.

왕 어린 줄 알았던 너의 아우 존이 박력 있는 모습으로 퍼시에게 칼 20
을 겨누는 것을 보았다.

왕자 아, 이 어린 소년이 우리 모두에게 용기를 불어넣어주는구나! (퇴장)

더글라스 등장.

더글라스 또 왕이군! 히드라의 머리처럼 계속해서 생겨나는구나. 나는 25
왕의 군기를 입은 모든 자들에게 치명적인 그 더글라스이다. 왕
처럼 변장하고 있는 너는 누구냐?

왕 더글라스, 나처럼 변장했으면서 진짜 왕은 아닌 네가 만난 그 많은
자들을 마음 속 깊이 슬퍼하는 바로 그 왕이다. 내 두 아들이 너와
퍼시를 찾아 전장으로 갔다. 그러나 이렇게 운 좋게 내 앞에 나타 30
났으니 내가 너를 상대해주겠다. 어디 맞서 보거라.

더글라스 네가 또 하나의 가짜인 거 같지만 확실히 너는 왕과 같은 모습 35
을 지니고 있구나. 하지만 네가 누구이든 나는 네가 나의 희생자
라는 것은 확신한다. 그래서 이렇게 너와 싸워서 이길 것이다.

그들은 결투한다. 왕이 위험에 처한다.
웨일즈의 왕자 [다시] 등장.

왕자 고개를 들어라, 비열한 스코틀랜드 인. 아니면 너는 결코 다시는
그 고개를 들 기회가 없을 것이다! 용맹스러운 셜리, 스테포드, 40
블런트의 영혼들이 나의 팔에 힘을 실어 주고 있다. 너를 위협하
고 있는 자는 약속하면 반드시 빚을 갚는 웨일즈의 왕자이다. (그

들 싸운다. 더글라스 도망친다.) 힘내십시오, 폐하, 괜찮으십니까? 니콜
45 라스 가우지 경이 원군을 부르러 보냈습니다. 클리프톤도 그렇고
요ー저는 클리프톤에게 곧장 가겠습니다.

왕 잠시 여기서 숨을 돌리도록 해라. 너는 네 잃어버린 명성을 되찾
았고 이렇게 위기의 순간에 나를 구해주는 걸 보니 나의 생명을
소중하게 여긴다는 것을 알겠구나.

50 **왕자** 오, 하느님, 제가 아버지의 목숨을 노린다고 말했던 자들이 제게
너무도 심한 짓을 하였군요. 제가 정말 폐하의 죽음을 원했다면
아버지를 더글라스의 위협하는 손에 그냥 두었을 것입니다. 그러
면 그 자는 세상에 있는 어떤 독만큼 빠르게 아버지를 종말로 이
55 끌었을 테니까 말이죠.

왕 너의 병력을 클리프톤을 향하여 움직여라. 나는 니콜라스 가우지
경에게 갈 것이다. (퇴장)

핫스퍼 등장.

핫스퍼 내가 실수한 것이 아니라면, 너는 해리 몬마우스이다.

왕자 너는 마치 내가 나의 이름을 부인하는 것처럼 말하는구나.

핫스퍼 나의 이름은 해리 퍼시이다.

60 **왕자** 그렇다면 나는 그 이름의 매우 용맹한 반역을 보고 있구나. 나는
웨일즈의 왕자이다. 더 이상 나와 명예를 공유할 생각은 하지 마
라, 퍼시. 두 개의 별이 한 지구 안에서 궤도를 유지할 수 없고 또
한 하나의 영국이 해리 퍼시와 웨일즈의 왕자라는 이중 통치를
65 참아낼 수 없다.

핫스퍼 그럴 일 없을 것이다, 해리. 우리 중의 하나를 끝장낼 시간이 왔
다. 너의 군사적 명성이 나의 명성만큼 위대하다면 좋았을 텐데!

왕자 내가 너와 헤어지기 전에 내 명성이 더 위대해질 수 있게 할 것이
다. 그리고 너의 투구 위에 있는 모든 꽃 장식을 잘라내서 내 머 70
리의 화관으로 만들 것이다.

핫스퍼 네 놈의 허풍을 더 이상 참을 수 없구나.

왕자와 싸운다.
폴스타프 등장.

폴스타프 잘한다, 할! 거기, 할! 아니, 내가 분명히 말하는데 이것은 애들 75
장난이 아니야.

더글라스 [다시] 등장. 그는 폴스타프와 싸운다, 폴스타프 죽은 것처럼
쓰러진다. [더글라스 퇴장.] 왕자 핫스퍼에게 치명적인 상처를 입힌다.

핫스퍼 오 해리, 네가 나의 젊음을 앗아가고 마는구나! 네가 나에게서 얻
은 그 오만한 명예에 대한 요구들보다 연약한 목숨의 손실을 견
디는 편이 더 낫다. 그것들은 너의 칼이 내 살에 주는 상처보다
나한테는 더 심한 고통을 주기 때문이다. 하지만 생각은 생명의
노예이고 생명은 시간의 광대에 지나지 않는다. 그리고 이 세계 80
의 지배자인 이 시간 또한 언제가 멈추어야만 한다. 아, 이제 예
언할 수 있는 능력이 생겼지만 죽음의 흙내 나는 차가운 손이 이
미 나의 혀에 닿는구나. 아니, 퍼시, 너는 흙먼지이다, 그리고 밥
이 된다— ([죽는다.]) 85

왕자　구더기 밥이 되겠지. 용감한 퍼시, 잘 가거라. 위대한 심장이 잘
　　　못된 야망으로 너무도 수축되었구나! 이 몸이 정신을 가지고 있
　　　었을 때, 한 왕국도 그것을 담기에 불충분하였다. 그러나 이제 가
90　　　장 더러운 땅 두 보폭이면 충분하게 되었구나. 설사 그렇지만 네
　　　가 죽어 있는 이 땅에 너와 같이 용맹한 신사는 없었다. 만약 네
　　　가 의식이 있다면 이런 진심에서 우러나오는 감정을 표현하지 않
95　　　았을 텐데. 기사의 호의로 너의 난도질 된 얼굴을 덮어주겠다. 그
　　　리고 너를 대신해서 내가 이러한 정당한 제의를 수행할 수 있는
　　　것에 감사한다. 잘 가거라. 너의 명예는 천국으로 가지고 가기를!
100　　너의 치욕스러운 잠은 너와 함께 여기 무덤에 묻고 너의 묘비에
　　　서는 기억되지 않기를! (그는 땅에 있는 폴스타프를 감시한다.) 낯이 익은
　　　친구인데. 이 많은 살로도 작은 목숨 하나를 구하지 못했단 말인
　　　가? 불쌍한 잭, 잘 가게! 좀 더 훌륭한 자를 잃어도 이보다는 참
105　　기 쉬웠을 텐데. 아, 만약 내가 방탕한 삶을 원한다면 몹시도 그
　　　리워 할 것이다. 비록 이 치열한 전투장에서 많은 용맹한 자들이
　　　쓰러졌지만 이렇게 살찐 사슴은 없었다. 창자를 도려내줄 때까지
　　　고상한 용자 퍼시 옆에 누워 있거라. (퇴장)

　　　　　　　　　폴스타프 벌떡 일어난다.

110　**폴스타프**　창자를 도려낸다고? 네가 오늘 내 창자를 꺼내면, 나를 염장해
　　　서 내일도 먹을 수 있는 말미를 주겠다. 쳇, 아까 죽은 체 가장을
　　　하지 않았더라면 어떻게 되었을까. 그 뜨겁게 성난 스코틀랜드
　　　놈이 나에게 보복을 했을 거야. 가장을 했다고? 아니지, 나는 어

떤 가장도 하지 않았어. 죽는 것은 일종의 가장을 하는 거야. 왜 115
냐하면 생명이 없는 인간은 가짜인간이 되는 거니까. 그러나 죽
은 척해서 살 수 있을 때, 그건 더욱 진실하고 완전히 살아있는
완벽한 형상이지. 가장 훌륭한 용기는 분별력이야. 그 분별력 덕
분에 이렇게 목숨을 구한 거야. 에잇, 나는 이 화약 같은 퍼시가 120
두려워. 비록 죽어있지만 말이야. 만약 그 역시 가장을 하고 있는
것이어서 벌떡 일어나면 어떻게 하지? 정말, 나는 그가 감쪽같이
가장을 하고 있는 것일까 두려워. 그러니 확실히 해두고 내가 죽
였다고 우겨야지. 나처럼 다시 일어나지 않으리란 법이 어디에 125
있겠어? 목격한 사람만 없으면 괜찮을 거야. 마침 아무도 보고 있
지 않네. 그러니, 이봐[핫스퍼를 찌르면서]), 너의 허벅지에 새로운
상처를 가지고, 나와 함께 가자.

핫스퍼를 등에 들어 올린다.
왕자와 랑카스터의 존 [다시] 등장.

왕자 어서와, 나의 아우 존. 너의 처녀 전투에서 아주 용감하게 잘 싸
웠구나.

랑카스터 그런데 쉿, 여기 누구지요? 이 뚱뚱한 놈은 죽었다고 하지 않 130
았나요?

왕자 그랬지. 내가 땅바닥에서 숨도 쉬지 않고 피를 흘리면서 죽어 있
는 걸 봤는데. (폴스타프에게) 자네 살아있었나? 아니면 우리 시야에
서 장난치고 있는 환영인가? 말해보게. 듣지 않고는 보고도 믿지 135
못하겠으니까 말이야. 보이는 것과 같이 진짜 인간은 아니지.

폴스타프　난 진짜야, 유령이 아니라고. 내가 잭 폴스타프가 아니라면, 그
러면 나는 악당 잭이다. 퍼시가 여기에 있다! ([시체를 던진다.]) 자네
아버지가 나에게 어떤 명예라도 주실 거면, 그렇게 해. 만약 그렇
지 않다면, 다음 번 퍼시는 왕이 몸소 죽이셔야 할거야. 백작이나
공작 벼슬정도는 주시겠지.

왕자　이것 봐, 내가 퍼시를 죽였어. 그리고 자네가 죽은 것도 봤어.

폴스타프　뭐라고? 주님, 주님, 이 세상이 왜 이렇게 거짓말투성이가 돼가
는 겁니까! 사실은 말이지 나는 바닥에 누워서 숨을 안 쉬고 있었
어. 그도 그랬던 거야. 그러나 우리는 둘 다 동시에 일어나서 슈
르스베리 시간으로 한 시간 가량 결투를 벌였어. 내 말이 믿어진
다면, 그렇고. 그러지 않다면, 용기를 보상해야 할 당국이 그 책
임을 져야지. 내 목숨에 걸고 맹세를 하건대, 내가 그의 허벅지에
상처를 입혔어. 만약 그자가 살아서 그것을 부인한다면, 에잇, 이
칼을 쳐 먹여줄 테다.

랑카스터　이것은 내가 들어본 것 중에 가장 괴상한 이야기인데요.

왕자　그야 이자가 가장 괴상한 인간이니까. 자, 짐을 조심해서 메고 와
라. ([폴스타프에게 방백으로]) 거짓말이 너에게 명예를 가져다준다면,
내가 가지고 있는 것 중에서 가장 호의적인 어구들로 장식을 해
줄 거다. (퇴각 신호가 들린다.) 퇴각 나팔이 분다. 우리가 승리했다.
자 아우야, 전장의 가장 높은 지점으로 올라가서 누가 살았고, 누
가 죽었는지 알아보자.

웨일즈의 왕자와 랑카스터 퇴장.

폴스타프 그들을 따라가야지, 보상을 받고 싶으니까. 나에게 상을 주시
는 분, 주님이 그 분을 보상하시기를! 만약 내가 위대하게 되면,
내 몸은 홀쭉해지겠군. 자신을 정제시키고, 술도 끊고 귀족들이
그러는 것처럼 깨끗하게 살 거니까.

[시체를 끌고 가면서] 퇴장.

5장

나팔소리 들린다. 왕, 웨일즈의 왕자, 랑카스터의 존 경,
웨스트멀랜드 경이 포로인 우스터, 버논과 함께 등장.

왕   이렇게 반란은 그것에 합당한 벌을 받게 되었소. 악한 마음을 품
        은 우스터, 내가 선한 의도, 용서, 그리고 사랑의 조약을 너희 모
        두에게 보내지 않았었나? 그런데 어째서 나의 제안을 정반대로
5   뒤집어서 전달한 건가? 어떻게 혈족으로서 받고 있는 신뢰를 배
        신한 것인가? 오늘 우리 쪽도 세 명의 기사들과 한 명의 백작 그
        리고 수많은 병사들이 전사했다. 만약 그대가 기독교인답게 정직
10   한 정보를 전달했다면, 그 전사자들이 지금 살아있었을 것이다.

우스터 내 개인적인 안위에 대한 욕심으로 부득이 그렇게 밖에 할 수 없
        었습니다. 그러니 피하지 않고 나에게 떨어진 이 운명을 받아들
        이겠습니다.

왕   우스터를 교수대로 데려가라. 버논 역시 데려가라. 다른 관련자
15   들에 대해서는 차후에 조치하도록 하겠다. (우스터와 버논 [감시되어]
        퇴장) 전장의 상황은 어떠하냐?

왕자   고상한 스코틀랜드 인, 더글라스 경은, 오늘 운이 그로부터 등을
20   돌려서, 퍼시가 살해당하고, 그의 부하들이 공포에 질려 도망치
        는 것을 보고, 나머지 부하들과 함께 도망쳤으나 언덕으로부터
        굴러 떨어져서 부상을 입고 추적하던 자에 의해 체포되었습니다.

지금 제 천막에 수용되어 있습니다. 폐하께서 그의 처분을 제게 일임해주시기를 간청합니다.

왕 기꺼이 일임한다.

왕자 그러면, 나의 아우 랑카스터의 존, 이 영광스러운 관용의 조치를 25
네가 맡도록 해라. 더글라스에게 가서 그가 원하는 대로 하도록
풀어 주어라. 보석금도 없이 아무런 대가 없이. 오늘 우리에게 보
여준 그의 용맹은 아무리 적이라 할지라도 높이 평가받아야 하는
것이기 때문이다.   30

랑카스터 형님께서 이렇게 고귀한 호의를 보여주신 것에 감사드립니다.
즉시 이행하도록 하겠습니다.

왕 그러면 우리의 병력을 나누어야 하는 일이 남았습니다. 나의 아
들 존, 그리고 나의 종형제 웨스트멀랜드 경은 속히 요크를 향하 35
여 전진하시오. 소식에 따르면 노섬벌랜드 경과 대주교 스쿠프가
우리와 대적하기 위해 전투 준비에 바쁘다고 하니, 가서 격퇴하
도록 합시다. 그리고 나의 아들 해리는 글렌다워와 마치 백작의
연합군과 싸우기 위해서 웨일즈로 향할 것이다. 이 땅에서의 반 40
란은 오늘과 같은 격파로 그 길을 잃어버리게 될 것이오. 오늘 성
공적인 마무리를 하였으니, 앞으로 정당한 승리를 얻을 때까지
멈추지 말고 전진합시다.

모두 퇴장.

작
품
설
명

『헨리 4세 1부』는 1398년에서 1422년 사이의 영국 역사를 다루고 있다. 이 극은 『리처드 2세』에서 리처드의 왕권을 찬탈하고 왕좌를 차지한 볼링브록의 연설로 시작된다. 그는 여전히 왕권을 가지고 있기는 하지만 패기 있고 전투적인 야심가로서의 모습이 아니라 끊임없이 이어지는 전란에 의해 피폐해져 있는 불안한 왕의 모습이다. 이러한 왕에게 미래에 대한 희망마저도 가질 수 없게 하는 것은 그의 왕위를 이어야 할 세자이다. 그는 세자로서의 품위를 망각하고 늙은 허풍선이 폴스타프를 비롯한 시정잡배들과 어울려 다니면서 온갖 방탕한 생활을 하고 있기 때문이다. 이러한 할 왕자를 보고 헨리 4세는 자신이 리처드 왕에게 저지른 잘못에 대한 하늘의 응징으로 여기면서 왕위 찬탈에 대한 죄책감으로 괴로워한다.

이러한 헨리 4세의 모습에서 우리는 영원할 수 없는 권력의 진실을 보게 된다. 흥할 때가 있으면 거기서 내려와야 할 때도 있는 것이다. 한 사람만이 권력을 영구히 가질 수 없고 그것은 자연의 법칙처럼 한 사람에게서 다른 사람에게로 옮겨간다. 이러한 권력의 진실은 헨리 4세의 권력이 이제 그의 다음 세대로 옮겨가야 할 때라는 것도 시사한다. 그렇기 때문에 이 작품은 비록 헨리 4세가 타이틀의 역할을 맡고 있지만 그 초점이 헨리 4세에게서 어린 할 왕자에게로 옮겨간다. 따라서 이 작품은 할 왕자가 어떻게 성장하여 왕위를 계승하기에 합당한 인물로 변해 가는가를 중점적으로 묘사하고 있다.

할 왕자는 노섬벌랜드 백작의 아들인 핫스퍼[성급한 성격]란 별명을 가진 인물과 대조되어 묘사된다. 이 두 젊은이들은 '헨리'라는 이름을 공유한다. 헨리 4세가 언급했듯이 핫스퍼는 젊은 시절의 헨리 4세를 연상시킬 만큼 왕자로서의 위용을 갖추고 있다. 그래서 이 핫스퍼가 자신의 아들이 아닌 것을 안타까워한다. 하지만 헨리 4세의 걱정과 달리 할 왕자는 핫스퍼 일당이 왕에게 반기를 들고 전쟁을 일으키자 이전과는 다른 모습으로 반란군 진압에 나서서 죽음의 위기에 몰린 헨리 4세를 구해낸다. 이렇게 함으로써 아버지의 목숨을 노리고 있다고 하는 오해를 말끔히 청산하고 방탕한 생활을 하는 부덕한 할 왕자에서 영국을 위한 새로운 희망의 인물로 변화하게 된다.

이 극에서 주목할 또 하나의 인물은 폴스타프이다. 그는 셰익스피어가 창조해낸 인물 중의 대표적인 자리를 차지하고 있는 인물 중의 하나로 이 극에서 절대적으로 중요한 역할을 한다. 그는 할 왕자의 비행이 가능하도록 하는 인물이고 무거울 수도 있는 역사극에 가볍고 즐거운 희극적 요소를 부과하는 역할을 한다. 술주정뱅이 허풍선이이고 늙은 기사인 폴스타프는 주색을 좋아하고 거짓말을 일삼고 온갖 악행을 행하지만 그가 할 왕자와 벌이는 희극적 부 플롯이 주 플롯의 패러디로 작용하여 극의 주제를 간접적으로 전달해주는 역할도 한다.

폴스타프와 함께 주목해야 할 인물은 핫스퍼이다. 그의 이름이 의미하듯이 그는 성급한 성질을 가지고 있고 그 성질 때문에 일을 그르치다 결국 죽음을 맞이하게 된다. 헨리 4세가 말한 것처럼 그는 젊은 시절의 헨리 4세와 많이 닮아있다. 이 극에서 그가 실패하는 것은 많은 점을 시사하고 있는데 그것은 리처드 2세를 몰아내고 왕위를 차지할 수 있었던 볼링브록의 성질이 다른 상황에 처해졌더라면 핫스퍼처럼 죽음을 초래할 수도 있는 성질이라는 것이다. 그래서 그가 왕위를 차지한 것은 그의 절대적인 능력이 아니라 그 상황에서 상대적으로 유리했기 때문에 가능할 수 있었다는 것이다. 다시 말하면 똑같은 능력이 상황에 따라 왕좌를 차지할 수도 있는 능력이고 그렇지 못한 능력일 수도 있다.

이러한 점은 셰익스피어의 역사극을 좀 더 큰 테두리에서 보게 된다. 한 사람의 능력과 영광이 절대적인 것이 아니며 상대적이고 순환적이라는 것이다. 이것은 또한 이 역사극을 우리의 삶과 연결시킬 수 있는 접점이 된다.

셰익스피어 생애 및 작품 연보

셰익스피어의 생애와 작품의 집필연대 중 일부는 비교적 정확히 기록되어 있는 자료에 의존할 수 있지만, 대부분은 막연한 자료와 기록의 부족으로 그 시기를 추정할 수밖에 없으며, 특히 작품 연보의 경우 학자들에 따라 순서나 시기에 차이가 있음을 밝힌다.

1564	잉글랜드 중부 소읍 스트랫포드 어폰 에이번Stratford-upon-Avon 출생(4월 23일). 가죽 가공과 장갑 제조업 등 상공업에 종사하면서 마을 유지가 되어 1568년에는 읍장에 해당하는 직high bailiff을 지낸 경력이 있는 존 셰익스피어와, 인근 마을의 부농 출신으로 어느 정도 재산을 상속받은 메리 아든Mary Arden 사이에서 셋째로 출생. 유복한 가정의 아들로 유년시절을 보냄.
1571	마을의 문법학교Grammar School에 입학했을 것으로 추정.
1578	문법학교를 졸업했을 것으로 추정. 졸업 무렵 부친 존은 세금도 내지 못하고 집을 담보로 40파운드 빚을 냄.
1579	부친 존이 아내가 상속받은 소유지와 집을 팔 정도로 가세가 갑자기 어려워짐.
1582	18세에 부농 집안의 딸로 8년 연상인 26세의 앤 해서웨이 Anne Hathaway와 결혼(11월 27일 결혼 허가 기록).
1583	결혼 후 6개월 만에 맏딸 수잔나Susanna 탄생(5월 26일 세례 기록).
1585	아들 햄넷Hamnet과 딸 쥬디스Judith(이란성 쌍둥이) 탄생(2월 2일 세례 기록).